D0682439

Collection
PASSION

Dans la même collection

DEBORAH SMITH

À CAUSE D'UN PANDA

PRESSES DE LA CITÉ
PARIS

Titre original :
HOLD ON TIGHT

Première édition publiée par Bantam Books, Inc., New
York, dans la collection Loveswept ®. Loveswept est une
marque déposée de Bantam Books, Inc.

Traduction française de Margaux Villers

1

– Vous pouvez me dire ce qu'il faut faire de
ça? dit une voix impatientée.

– Comment, vous êtes encore là! s'indigna
l'homme qui venait de lever le nez de sa machine
à écrire. Il m'avait semblé tout à l'heure vous
avoir demandé quelque chose. Je meurs de faim!
Apportez-moi mon poulet et ma salade de chou.
Compris, mademoiselle Va-t-en-guerre?

– Vos désirs sont des ordres! répliqua la secrétaire d'un ton faussement indigné. Je suis payée
pour le savoir. Mais vous conviendrez qu'il s'agit
d'un cas de force majeure, reprit-elle en balan-
çant une cage sous le nez de son patron.

Harvey McClure regarda l'objet avec incrédu-
lité, lissa sa moustache et consentit à retirer ses
bottes de cow-boy de son bureau déjà fort
encombré.

– Mais qu'est-ce que c'est que cette boule de
poils? dit-il, ahuri.

– Si vous y ajoutez deux yeux, un museau et
une queue, vous serez dans deux secondes en présence de ce que les fourreurs appellent un kin-
kajou, mais que tous les enfants du monde
adorent sous le nom de panda. Cette bestiole nous

est arrivée en recommandé tout droit de l'Alabama. Et la généreuse donatrice n'est autre que madame le maire de Mount Pleasant. Vous vous souvenez certainement, cette jeune femme que vous avez épinglée dans votre article, dernièrement. Vous l'avez traitée de reine des marsupilamis, à cause de la manifestation qu'elle organise pour leur protection. Elle s'en est souvenue et je doute fort que vous réussissiez à vous débarrasser de ce charmant cadeau...

– Vous avez vu ses quenottes, Millie? Vous croyez que ça mord? Avouez qu'il est à croquer. Quand j'étais gosse, dans mon Texas natal, on s'amusait à les écraser sur la route.

– Gardez donc ces détails sordides pour vos papiers!

Harvey sourit et glissa avec précaution son doigt entre les barreaux. Le petit animal gris et blanc entreprit aussitôt de le renifler de ses narines prudentes et humides. Il était à peine gros comme un chaton et avait plutôt l'air d'un jouet que d'un animal sauvage. Le journaliste s'en convainquit très vite et il passa la main par l'étroite ouverture de la prison miniature. Il sentit bientôt la chaleur du bébé ronronnant qui, d'emblée, avait enroulé sa trop longue queue autour du poignet de son ravisseur.

– Est-ce que je peux jeter un coup d'œil à la lettre d'accompagnement?

– Certainement, Votre Majesté, répondit la blonde Millie qui avait jugé préférable de regarder la scène à distance.

La missive portait l'estampille officielle aux armes de la ville. Harvey n'avait jamais entendu parler de cette bourgade qui ne figurait peut-être même pas sur les cartes d'état major. Un de ces trous perdus que l'on traverse en voiture sans s'y arrêter. McClure, qui se flattait d'être ce bourlingueur impénitent qui avait chassé les femmes et vidé les canettes de bières dans toute l'Amérique profonde, devait bien s'avouer qu'il n'avait jamais eu la curiosité de pousser jusque-là.

– Écoutez ça un peu : «Si vous en êtes réduit à injurier des gens respectables et à les poursuivre dans vos colonnes, c'est que vraiment vous n'avez pas grand-chose à vous mettre sous la dent! Le panda que vous recevrez en même temps que la présente constitue un avertissement. Si d'aventure, vous vous sentiez obligé de continuer sur votre lancée, je me verrais dans l'obligation de vous intenter un procès pour diffamation.» Et c'est signé Dinah Sheridan. M'est avis, Millie, que j'ai mis le nez dans un drôle de guêpier! Cette fille ne mâche pas ses mots et j'ai bien envie d'aller voir sur place à qui j'ai affaire.

– Vous feriez mieux de vous tenir tranquille. Et d'abord, ça n'est pas votre type. C'est le genre intellectuel, si vous voyez ce que je veux dire...

– Il ne s'agit pas de ça. C'est professionnel. Elle me semble avoir du cran et les personnages de sa trempe m'intéressent.

Harvey se balança sur son fauteuil et caressa les oreilles du panda dissipé qui venait de poser sa truffe noire et froide dans l'échancrure de la chemise de son nouveau propriétaire.

– Appelez-moi la mairie de ce bled et tâchez de savoir quand se réunit le prochain conseil. Ils m'y verront.

— Ils n'ont pas idée de ce qui les attend..., soupira Millie en tournant les talons.

Tout en étudiant ses dossiers, Dinah Sheridan fredonnait les premières mesures de ce concerto de Mozart qu'elle avait étudié le matin même sur son piano.

La jeune femme préparait la réunion mensuelle du conseil municipal et, comme à son habitude, elle travaillait activement. Comme toujours aussi, son maintien et sa tenue étaient impeccables. Sa volumineuse chevelure auburn était relevée en un chignon strict et parfait. Ce jour-là, elle avait choisi une veste destructurée d'un bleu dur d'où émergeait le col amidonné d'un chemisier gris perle qui soulignait son teint de pêche.

Quelques années auparavant, Dinah avait été reine de beauté. Son allure et son corps sculptural avaient forcé alors l'admiration des juges et suscitaient encore l'enthousiasme parmi ses concitoyens.

Dehors, au-delà des fenêtres de la salle de conférence, la nuit fraîche de septembre recouvrait comme une chape les crêtes obscures des petites montagnes avoisinantes. C'était comme si Mount Pleasant, avec ses lumières dispersées, s'apprêtait déjà à s'endormir.

— Toujours la première au poste! constata Walter Higgins en entrant dans la pièce.

— Comme vous le savez, dit-elle en lui adressant un sourire, notre agenda est plutôt chargé, ce soir.

— Dites-moi, reprit l'entrepreneur de travaux publics, avez-vous eu des nouvelles de ce McClure?

– Je suppose qu'il a dû recevoir le paquet. Attendons de voir sa réaction.

– A mon avis, il en faudrait davantage pour impressionner un type de son espèce. Drôle de loulou, d'ailleurs. Il était l'autre soir à la télévision et il parlait de ses fantasmes. Il paraît que rien ne l'excite davantage que la mayonnaise.

– Je n'ai pas l'honneur de connaître ce monsieur et ce n'est pas ce que vous me racontez qui m'en donnera l'envie.

– Par contre, il écrit bien et son dernier livre est en train de faire un tabac. Les critiques affirment même qu'il y a du Mark Twain chez lui.

– Vous feriez mieux de tenir votre langue. Je vous défends de galvauder la littérature! s'écria Dinah, comme piquée au vif.

Ils s'interrompirent au moment où les autres membres du conseil firent leur entrée. Ce n'étaient pas tous des notables mais tous jouissaient de la considération des habitants; des gens honnêtes et respectables qui ne cachaient pas leur amitié pour leur maire si efficace.

Le chef de la police, le commandant des pompiers et le juge à la retraite furent les derniers à prendre place autour de la table en U. Dinah, après avoir promené ses regards sur l'assemblée, avança sa chaise et s'éclaircit la voix. C'était un rituel qu'elle renouvelait à chaque début de séance et qu'elle accomplissait depuis quatre ans, à l'époque où elle s'était installée dans cette ville pour commencer une nouvelle vie. Une façon pour elle de tourner la page sur un passé trop douloureux.

– Très bien, dit-elle en souriant à la ronde, passons sans plus attendre à l'ordre du jour...

Les quarante-cinq minutes qui suivirent furent consacrées à l'examen attentif des problèmes de voirie et aux diverses festivités qui marqueraient le dîner dansant organisé chaque année au début de l'automne.

Dinah, tête baissée, prenait scrupuleusement en note chaque intervention. Lorsqu'elle releva les yeux, elle distingua au fond de la salle le visage d'un homme qui la fixait, la joue appuyée sur sa paume. Un second coup d'œil lui suffit pour constater que l'étranger assis dans une attitude décontractée était plus grand que la moyenne et que son jean recouvrait des bottes à éperons.

L'inconnu restait immobile et la considérait toujours sans ciller. Pour atténuer le malaise qu'elle sentait s'insinuer en elle, Dinah se mit à lisser ses cheveux aux tempes et, d'un geste qu'elle voulait énergique, rassembla les feuilles disposées devant elle.

Peine perdue. Il lui était impossible de se concentrer. A nouveau, elle regarda dans la direction du trouble-fête.

« Une moue un peu prétentieuse peut-être mais plutôt séduisante quand même... Avec ça, ce jean poché aux genoux et râpé aux cuisses, négligé à souhait. Et, pour couronner le tout, une de ces moustaches à affoler toutes les femmes. Rugueuse et douce à la fois. Sans doute. Sans parler des lèvres qu'elle dissimule... »

– Je vous demande donc de consacrer une part plus importante du budget à notre association, intervint l'un des conseillers.

Dinah sursauta et se rendit compte avec angoisse que Fred avait gardé la parole pendant un bon moment et qu'elle était bien incapable de dire le pourquoi de son intervention.

– Qu'en pensez-vous? insista-t-il.

La jeune femme toussota pour rompre un silence soudain gênant et se tourna résolument vers la bonne grand-mère à lunettes qui tenait l'unique boulangerie de la commune :

– Notre chère Glory nous donnera sûrement un judicieux conseil...

Pour toute réponse, la vieille dame ouvrit la bouche d'un air incrédule.

Visiblement, le visiteur prenait plaisir à la scène car ses yeux verts brillaient de joie. Dinah s'en assura par un regard prolongé.

C'est à ce moment précis que la chose arriva. Elle vit de loin une petite boule vivante sortir d'une cage, escalader sa poitrine en trois bonds et se percher hardiment au sommet de son épaule, toutes griffes dehors. Aussitôt un éclat de rire la secoua, un rire déferlant et irrépressible qui gagnait maintenant toute l'assistance. Ravi de son effet, le panda téméraire agitait ses minuscules narines dans un effort évident pour recueillir lui aussi des applaudissements.

Son perchoir improvisé n'avait toujours pas bougé et celui qui captait toute l'attention gardait un visage impassible. Finalement, il attrapa le gentil téméraire par le collier et le fit doucement redescendre de son observatoire.

Il n'y avait qu'une seule personne susceptible de troubler un conseil municipal en exhibant un pareil animal et cet imposteur s'appelait Harvey McClure.

« Non, ce n'est pas vrai. Il n'a pas pu oser ! » se répéta Dinah en son for intérieur.

– J'ai l'impression que nous allons être contraints à une suspension de séance, annonça-t-elle à la cantonade. Auriez-vous l'obligeance, monsieur, de nous expliquer les raisons de votre présence en ces lieux? reprit-elle à l'adresse du perturbateur.

McClure redressa la tête et décroisa lentement les jambes. Il se tut un moment encore et se mit à caresser le nez du panda qui couinait plaintivement. L'inquiétude de son protégé semblait être le centre de toute son attention. Les membres du conseil municipal venaient de se résigner à attendre qu'il daigne prendre la parole. Ce qu'il fit bientôt, au soulagement de Dinah, et un sourire timide au coin des lèvres:

– J'ai des excuses à vous présenter, madame, dit-il en s'inclinant. Je comprends que ma visite, pour le moins impromptue, n'ait pas eu l'heur de vous surprendre agréablement. Au cas où certains d'entre vous l'ignoreraient encore, mon nom est Harvey McClure. Chroniqueur pour vous servir et célèbre signature de l'*Examiner*. A ce sujet, d'ailleurs, je crois devoir vous informer que votre ravissant maire a pris ombrage de l'un de ces petits portraits dont j'ai le secret et qui...

– Cette comédie a assez duré! coupa Dinah. Vous avez cinq minutes pour nous exposer le but de votre venue.

– Mais je vous l'ai dit, je suis venu plaider coupable.

En tournant les yeux sur tant de visages bienveillants, il sut d'emblée qu'il avait gagné la partie. Mais il lui fallait maintenant convaincre sa principale adversaire. Et le jeu s'annonçait serré...

– Ça me rappelle une anecdote..., commença-t-il d'un air dégagé. J'étais enfant, en ce temps-là, et dans mon village du Texas, il y avait une fille et, croyez-moi, au chapitre de la beauté, elle ne vous arrivait pas à la cheville, mesdames. Eh bien, figurez-vous qu'elle avait concouru pour l'élection de la femme la plus baraquée du canton! Mais pour en revenir à ma propre histoire...

Assise sur la banquette en simili cuir d'un jaune agressif, Dinah écoutait, un sourire poli aux lèvres, le discours intarissable de l'étonnant McClure qui, dans la salle enfumée du *Canard à Trois Pattes*, s'adressait à sa petite cour. Tout le conseil municipal l'avait suivi dans ce bar pour l'entendre encore et rire de ses plaisanteries. L'heure tournait, les bocks se succédaient, les gâteaux secs circulaient à la ronde et nul ne songeait à se retirer.

Harvey, depuis quelques instants, s'était mis à répondre distraitement aux questions et observait à la dérobée la jeune femme silencieuse qui semblait faire bande à part. Elle ne ressemblait pas aux filles généreuses du Sud et sa beauté presque froide faisait l'essentiel de son charme. Ses yeux bleus à l'expression grave, insondable même, mangeaient son visage très pur aux cheveux tirés. Mais sous la coiffure stricte, on devinait une chevelure abondante et sombre où enfouir les mains...

Il se sentait bien dans cette atmosphère chaude où le café emplissait les tasses dans le chuintement familier du percolateur.

– Il se fait tard, soupira Glory Akens en se

15

levant à regret, j'ai été ravie de faire votre connaissance, monsieur McClure, merci mille fois, Harvey. Vous me permettez, n'est-ce pas, de vous appeler par votre prénom?

Il sourit et lui serra chaleureusement la main.

Un à un, les hôtes se retirèrent en assurant qu'ils avaient passé une soirée inoubliable. Déjà, leurs silhouettes s'estompaient dans la nuit et dans la salle désertée, le patron, en astiquant les verres, posait un regard fatigué sur ses derniers clients.

Harvey avait saisi le poignet de Dinah :

– Profitons de ce moment pour parler tous les deux, seul à seul. Voulez-vous? Ensuite, je vous déposerai en voiture.

Elle hésita, cherchant des yeux quelqu'un de connaissance pour la raccompagner, puis elle revint à son interlocuteur et finit par acquiescer. Le piège. Trop tard. Elle venait de tomber dedans.

Comme si elle voulait encore s'en échapper, elle fit un signe désespéré à Alfred Mason, l'indéracinable cuisinier de la maison, mais celui-ci était absorbé par l'écran de télévision qui diffusait le match de football du siècle.

– Retour à la case départ, dit-il soudain d'une voix sèche. A quelle méthode d'intimidation allez-vous avoir recours maintenant contre moi?

– Ce ne sera pas nécessaire si vous consentez à nous laisser en paix, mes administrés et moi, répondit-elle sans se troubler.

– D'accord, jeune fille, l'incident est clos. D'ailleurs, j'aime bien cette ville et, quant à vous, vous êtes loin de me déplaire!

– Je ne vous permets pas de me parler sur ce ton! Je déteste les familiarités.

– Comme il vous plaira, mademoiselle. Puis-je au moins espérer obtenir votre amitié, comme on dit dans le beau monde?

Dinah, d'instinct, refusa la main qu'il lui tendait. En même temps, elle dut s'avouer qu'elle trouvait sympathiques les manières directes de cet homme tout feu tout flamme qui venait de faire irruption sans crier gare.

En revanche, le journaliste aux aguets qui sommeillait en lui l'inquiétait davantage. Peut-être venait-il enquêter. Peut-être voulait-il lui arracher le secret qu'elle gardait en elle depuis bientôt six ans?

– J'avoue que je ne comprends pas très bien comment une fille telle que vous a pu abandonner gloire et fortune pour s'enterrer ici, reprit-il brusquement comme pour confirmer ce qu'elle redoutait. Lorsqu'on a été Miss Georgie, on doit rêver du titre de Miss Amérique, non?

Dinah dégagea sa main des doigts qui la retenaient prisonnière.

– Ne partez pas! supplia-t-il. J'ignore encore tout de vous et j'ai tellement envie de savoir... Vous avez peur! Vous m'intriguez, c'est tout.

La caresse sur son poignet se fit plus douce encore.

– Et vous? demanda-t-elle en relevant les yeux. Mise à part votre célébrité, vous vivez comment?

– Comme un quidam ordinaire, ma foi. Sinon, que vous dire d'autre? Si... Je suis divorcé. Depuis quatre ans. Je l'avais rencontrée à New York et un jour je l'ai ramenée là-bas. Définitivement.

Voilà. Cela n'ajoute rien à ma légende. Et je ne vois d'ailleurs pas très bien pourquoi les gens se retournent sur moi dans la rue. Mais il y a quand même des avantages. Par exemple, c'est devenu encore plus facile de conquérir les femmes..., conclut-il avec un soupir de satisfaction.

– Qui vous dit que toutes ont envie de succomber à un homme public?

Dinah était bien la première surprise de son agressivité.

– Non... Pardonnez-moi. Je retire ce que je viens de dire.

– Rassurez-vous, je ne me prends pas encore pour Clark Gable! Et je ne passe pas non plus mon temps à hanter les bars pour célibataires à la recherche de l'âme sœur. En fait, reprit-il, j'ai un faible pour les natures indépendantes, de celles qui peuvent vous laisser moisir tout seul chez vous pendant des semaines. Tenez, je sens déjà qu'il se passe quelque chose entre vous et moi.

– Vous allez bien vite en besogne...

– On ne se refait pas. Et puis la vie est trop courte pour l'user en chicaneries! A quoi bon les bavardages? Moi, je vais toujours à l'essentiel. Commençons tout de suite. On m'a dit que vous étiez prof au collège, c'est vrai?

Instantanément, Dinah se remit sur la défensive.

Il ne lui était pas possible d'éluder toutes les questions. Elle lui raconta qu'elle avait obtenu un diplôme de sciences politiques dans la petite mais très respectable école de Mitchataw, en Alabama. C'est après qu'elle avait choisi de se fixer à Mount Pleasant où, en plus de ses fonctions administratives, elle enseignait l'histoire à des adolescents.

– Les gens d'ici vous ont apparemment adoptée. Il suffisait d'observer leurs réactions, tout à l'heure, pendant le conseil. Ce n'est plus de l'obéissance, c'est de la dévotion!

– Un peu, oui. Bien, j'espère avoir satisfait votre curiosité. Et maintenant, si vous n'y voyez pas d'inconvénient, j'aimerais partir.

– Ça m'étonnerait, jeune fille. Ou alors, il faudrait me couper la main! lança-t-il en resserrant sa pression.

– Écoutez-moi, McClure, j'en ai assez que vous me preniez pour un bébé. Je suis majeure et je sais aussi me débarrasser des importuns.

– Et moi, je n'ai pas l'habitude de me laisser impressionner par les belles phrases, parce qu'elles sont souvent creuses. Vous en conviendrez sans peine, vous qui passez votre temps à pondre des discours officiels.

– Qu'est-ce que vous sous-entendez par là? Allez-y, continuez! Vous pourriez aussi m'attaquer sur les prix de beauté qui n'ont rien dans la cervelle! Car c'est bien ce que vous pensez, hein?

– Il est très mauvais de perdre son sang-froid, dit-il d'un air narquois. Une petite promenade vous ferait le plus grand bien. Sortons avant que le patron ne nous mette dehors...

Le vieil homme lui adressa un sourire de reconnaissance. A une heure du matin, il y avait déjà beau temps qu'ordinairement le rideau de fer était baissé et qu'il dormait benoîtement dans son arrière-boutique...

Les réverbères jetaient sur la rue leur lueur orangée tandis qu'Harvey et Dinah avançaient à pas lents vers le parking. Ils devisaient calmement dans la nuit.

«Comme deux copains qui ne se sont pas vus depuis les vacances, pensa la jeune femme. Enfin, presque.»

Ils traversèrent la place où se dressait, lourd et menaçant, le canon qui avait servi lors de la Première Guerre mondiale et que les habitants de Mount Pleasant tenaient pour le plus important vestige de leur histoire.

– L'Association des Femmes pour la Sauvegarde de l'Humanité ne manque jamais d'y déposer une gerbe, chaque année, au 11 novembre, précisa Dinah.

Harvey lui avait pris le bras et, tout en remontant l'artère principale, il lui raconta sans prévenir, comme sous l'emprise d'un besoin urgent, la mort tragique de son père, un soir, sur la route où il conduisait trop vite son camion.

– J'avais quinze ans quand c'est arrivé. Mais en une seconde, j'ai grandi d'un seul coup. Et j'ai dit à ma mère : Tu as été sa servante toute ta vie; maintenant, c'est fini. Je te promets, un jour, je t'achèterai la plus belle ferme de Floride. On s'y installera tous, et Mattie aussi. Mattie, c'est ma sœur qui est mariée, et alors, tu verras, tu te reposeras comme jamais. Un vrai coq en pâte!

– Et qu'a-t-elle répondu?

– Rien. Elle s'est mise à glousser comme une basse-cour en furie!

Ils riaient encore lorsque Harvey lui ouvrit la portière d'une splendide Cadillac noire.

– Admirez! cria-t-il avec un geste théâtral. Modèle Séville tout confort.

– C'est drôle. Je m'attendais plutôt à une Range Rover.

– Je préfère garder le cœur d'un aventurier plutôt que de conduire sa Jeep. Je me fiche des apparences. Et puis les engins de luxe ont ça de bon que la sono y est très au point. Tenez, choisissez une cassette.

Dinah fouilla dans une impressionnante mallette et la referma, déçue:

– Votre collection aurait de quoi rendre jaloux n'importe quel disquaire de Nashville. Malheureusement, la Country n'est pas ce que je préfère... Mais c'est peut-être parce que je connais mal ce genre de musique.

– Si vous écoutez une seule fois le son d'un banjo, vous ne pouvez plus jamais l'oublier. Parole. Ça vous remue comme si on vous frisait les nerfs. Je ne peux pas très bien vous expliquer ça... Mais c'est aussi fort que l'envie de vous embrasser. Et je crois même que je vais le faire tout de suite.

– Vous êtes fou! En pleine rue!

– Non, sur les lèvres.

Abasourdie par la réplique, Dinah s'abandonna à un grand éclat de rire et glissa quelques instants plus tard dans les bras vigoureux de Harvey.

Tout était incroyable, tout, la situation, les mots, cet homme qui la tenait serrée contre lui et lui enveloppait les épaules, ce naturel, cette audace et maintenant ce baiser. Un baiser profond et doux, magique, et surtout cette moustache irrésistible qui lui caressait la bouche, légère et rêche à la fois, comme un tout petit animal impossible à capturer.

Elle avait fermé les yeux et se livrait, docile, à son étreinte. Elle sentit des doigts délicats se poser sur sa nuque, descendre lentement sur sa veste et s'insinuer fébrilement à l'échancrure.

– Non, pas ça! cria-t-elle. Je vous interdis!

Les mains expertes venaient de toucher sa peau et elle se débattit.

– Lâchez-moi!

– Eh bien, jeune fille, un tout petit baiser et tu t'enfuis déjà? murmura-t-il, amusé.

– Aïe! Vous me faites mal. Vous m'avez griffée!

– Moi? dit-il, interloqué. Je ne prendrais sûrement pas le risque de me priver à l'avenir de moments aussi rares...

Dinah sourit brusquement en découvrant le coupable. L'agresseur venait de sauter sur le siège arrière et il toisait sa victime de son œil rond aux sourcils en broussaille. Il devait peser le poids d'un sac de billes et appartenait de toute évidence à la vaillante race des pandas.

– Mais qu'est-ce que tu fais là, toi? siffla Harvey. En voilà des manières. File vite te cacher!

La noix à fourrure aplatit ses oreilles et courut enfouir ses taches dans sa cage.

– Je me demande, maugréa Dinah, s'il n'a pas déjà pris les sales manies de son maître...

– L'éducation n'a rien à voir avec les principes, et le désir est la seule chose à laquelle il faut obéir. C'était d'ailleurs l'objet de ma première leçon.

– Vos enfantillages commencent à m'ennuyer. Déposez-moi à la mairie. Je vais récupérer ma voiture. Ensuite, j'espère que vous reprendrez le chemin de Birmingham. Et pour ce qui est de l'épisode, je vous conseille de l'oublier aussi vite que moi.

– Vous avez décidément un curieux langage... Vous parlez de ce qui s'est passé entre nous, je suppose? Et vous voudriez que moi, je tire un trait dessus? Vous vous trompez. Je tiens trop aux plaisirs terrestres!

Les portières claquèrent avec fracas et la Cadillac démarra sur les chapeaux de roues.

Elle passait le premier carrefour quand un coup de sifflet impérieux l'arrêta. Un agent se pencha à la vitre et salua le conducteur:

– Désolé, McClure, dit l'homme en uniforme que Dinah identifia aussitôt comme le chef de la police. Pas de passe-droit. Le règlement est formel. Vous n'avez pas allumé vos feux et c'est une infraction grave.

Harvey tourna vers la jeune femme son visage navré. Elle seule pouvait le tirer de ce mauvais pas mais elle regardait obstinément la route.

– Puis-je voir vos papiers? s'enquit Dewey Dune, l'intraitable.

– C'est-à-dire que... Ce n'est pas possible pour l'instant. La carte grise était restée dans la poche de mon jean et depuis, qu'il est passé à la machine à laver. Je défie quiconque de remettre le puzzle dans l'ordre...

– Dans ce cas, je vais vous demander de bien vouloir me suivre pour vérification d'identité et garde à vue s'il y a lieu.

– Mais c'est insensé! Dinah! Faites quelque chose!

– Mes attributions ne me le permettent pas et je suis la première à respecter les lois.

– Prenez au moins soin de notre bébé! cria-t-il, exaspéré.

Elle prit le panda sur ses genoux, sûre qu'il reviendrait le chercher. Mais quand?

2

– ALORS, maîtresse, toujours les exercices de routine? cria familièrement le capitaine des secouristes bénévoles à l'adresse de Dinah.

La jeune femme lui fit un petit signe de la main et sourit. Les derniers rayons de soleil s'attardaient sur le terrain de sport où une trentaine de gamines couraient et sautaient en cadence.

Plus loin, sur le gazon, l'orchestre amateur de la ville s'accordait une ultime répétition. Et le spectacle de ces Chats Sauvages travaillant en plein air méritait vraiment le détour.

Dinah dégringola de sa chaise arbitre pour échapper aux sons discordants qui commençaient à jaillir des clarinettes et autres saxophones. Tout en se dirigeant vers le groupe des juniors de l'équipe de base-ball, elle eut soudain en tête l'image fugitive d'un moustachu dégingandé s'éloignant sur une route, les mains aux poches et l'air furieux.

Depuis le matin, Harvey McClure n'avait cessé de tourmenter ses pensées... De rage, elle expédia d'un coup de pied un caillou sur la chaussée et regagna son break Toyota. Elle avait laissé la vitre ouverte et s'apprêtait à placer une cassette dans le lecteur, quand elle aperçut dans son rétroviseur une imposante voiture qui s'arrêtait derrière la sienne.

L'homme à la Cadillac venait d'en descendre.

«Souple et superbe. Enfin, l'allure. Mais les vêtements, mon Dieu, c'est plutôt négligé. Et ça lui va, ce vieux jean rapiécé et pas très propre, cette veste matelassée d'un gris délavé et ce sweat d'étudiant trop lâche et d'une couleur incertaine. Oui, c'est bien son style...»

Harvey s'avança vers elle, le sourire aux lèvres et le cœur brusquement affolé. Avant même de lui avoir parlé, il la sentit sur ses gardes. Il y avait dans ses yeux une lueur d'anxiété et elle s'était tassée sur le siège, soudain prête à combattre ou à se défendre.

«Mais pourquoi se méfie-t-elle de moi? Ne suis-je pas beau et célèbre? Non, elle doit me prendre pour un macho. Tant pis, je risque.»

– Vous m'avez manqué, dit-il trop fort. Je ne peux pas me passer de vous plus de quelques jours...

– Je ne vois pas votre panda..., commença-t-elle d'une voix faible et en se déplaçant côté passager. Vous l'avez perdu?

– Pas du tout, je l'ai laissé dormir à l'hôtel.

Elle le considéra, interloquée.

– Nous avons pris pensions à la *Montagne Noire*. Vous comprenez, c'est mieux pour lui. Surtout que la boutique pour toutous est à côté. En cas de problème, ils me le soigneraient.

– Est-ce que ça veut dire que vous avez l'intention de vous installer dans la ville?

– Oui. Momentanément, du moins... Pour ne

rien vous cacher, les gens d'ici m'inspirent et il y a chez eux matière à des centaines d'histoires. De quoi tenter un chasseur de personnages comme moi.

– Faites attention, ils sont fragiles. On ne peut pas ranger les êtres humains dans une galerie de portraits! Vos livres sont une chose, leur vie en est une autre; quelque chose d'important qu'il faut préserver. Je sais trop bien, hélas, que tous les reporters sont des pilleurs.

– C'est un peu facile de me ranger dans le même sac que mes confrères. On voit bien que vous ne me connaissez pas.

– Mais qu'est-ce que vous êtes venu chercher ici, à la fin?

– Ça aussi, dit-il, la bouche déjà contre la sienne.

Dinah se reprit très vite et se dégagea brutalement. Il lui suffit d'un regard de côté pour constater que des dizaines d'yeux écarquillés les fixaient. Ses élèves n'auraient pour rien au monde manqué d'épier un couple à ses moments de tendresse...

– Vous vous moquez de tout! lança-t-elle, furieuse. Et je me doute que ma réputation est le cadet de vos soucis.

– Ça ne mérite pas que vous montiez sur vos grands chevaux... Tout le monde a une excellente opinion de vous et vous le savez bien. A en croire Lula Belle Mitchum, ils ne souhaitent qu'une chose, c'est que vous trouviez un homme. Parce que c'est ça qui vous manque!

– Lula vous a dit ça? Mais où l'avez-vous vue?

– En chemin. C'est elle qui m'a indiqué où vous trouver.

– Mais ma parole, c'est une coalition! Je ne sais pas ce que vous leur avez fait, l'autre soir, toujours est-il que vous alimentez toutes les conversations. Vous les avez mis dans votre poche et le panda avec. Mais vous auriez tort d'attendre les mêmes réactions de ma part!

Il souriait devant cette jeune femme qui s'emballait comme un poulain rétif. En même temps, il se sentait désemparé face à son attitude. S'il la laissait faire, bientôt elle se montrerait cynique et peut-être cruelle.

– Dites-moi ce qui se passe dans votre tête, reprit-il doucement.

Dinah, les yeux baissés, se taisait. Qu'aurait-elle pu lui dire? Il n'avait pas le droit d'entrer de force dans ses pensées. Elle ne lui avouerait jamais ces souvenirs pénibles qui revenaient régulièrement la hanter et gâchaient sa joie de vivre. Cet accident, par exemple, où son père à elle aussi avait trouvé la mort dans des circonstances troubles entachées de honte et de scandale...

– Est-ce que je dois en conclure que vous faites un caprice? demanda Harvey en lui attrapant délicatement le menton. Regardez-moi! Répondez-moi!

– Ne faites pas attention, je vous en prie! murmura-t-elle humblement. J'ai quelquefois ce genre de réflexes... Et je suis la première à en souffrir. Mais il faut me comprendre. Lorsque je participais à ces concours de beauté, j'ai eu si souvent de mauvaises expériences avec des gens, enfin des hommes, qui ne pensaient qu'à tirer profit de la situation... que maintenant, je me méfie. Je m'enferme dans ma coquille, si vous préférez.

– Vous vous méprenez sur mon compte. Je ne mange pas de ce pain-là. Non, vous m'intéressez au même titre que les autres habitants de Mount Pleasant. J'ai envie d'écrire sur vous parce que vous vous débrouillez admirablement pour animer cette ville.

– Le compliment me touche, mais vous exagérez. Je me contente d'agir pour l'intérêt de mes concitoyens, ce qui n'a rien de particulièrement étonnant, vu mes fonctions...

– Je persiste à croire que vous avez quelque chose en plus. Sinon, on ne vous aimerait pas autant.

Il lui avait pris la maine et Dina ne songea pas à la retirer.

– Faites-moi confiance, poursuivit Harvey avec une belle sincérité. Je veux que l'Amérique tout entière découvre ce charmant village et la jeune femme si remarquable qui préside à sa destinée.

Dinah soupira. Ses propos étaient si convaincants... Oui, elle avait, d'une certaine manière, besoin de lui. Harvey McClure était célèbre de la côte Est à la côte Ouest et, en plus, il avait du talent. Jamais les gens ne le trouveraient indifférent à leurs difficultés. Et c'était vrai aussi qu'une publicité bien faite, sans outrances ni flatteries, pouvait servir la ville.

Pourtant, elle hésitait encore. La plume trop enthousiaste de ce journaliste si populaire pouvait lui causer du tort à elle.

« Par souci d'honnêteté, il mettra mon passé à la une, et ça, je ne le veux à aucun prix. »

– Que fait-on maintenant? s'enquit Harvey en coupant net le fil de ses réflexions.

– Eh bien, à vrai dire, je dois faire un discours au club du troisième âge. Ce ne sera pas follement gai et, en général, leurs dîners sont indigestes... Mais si le cœur vous en dit, vous pouvez toujours m'y accompagner.

– S'ils cuisent les spaghetti aussi bien qu'à la cantine de mon ancien collège, alors je suis des vôtres!

– Je vous aurai prévenu..., ajouta-t-elle en riant.

Deux heures plus tard, elle passait le prendre à son motel. Ils bavardèrent sans se lasser tandis que la Toyota roulait en direction de la salle des fêtes où avait lieu le banquet.

– Vous verrez, assura Dinah, ce sont des gens adorables. Par contre, l'ennui, c'est qu'il y a beaucoup de vétérans et quand ces gens-là commencent à raconter leur guerre...

– Il faut se mettre à leur place, répondit Harvey. C'est un sacré morceau de leur vie! Si je vous disais que moi qui vous parle, et après avoir traîné sept ans dans une école de journalisme, j'ai eu envie de bouger et j'ai opté pour l'armée! Engagé volontaire. Direction le Viêt-nam. Et là, pas besoin de se tourmenter les méninges en matière de survie et de sens du devoir.

– Vous avez un drôle d'idéal, mais je vous admire. Moi, je n'aurais jamais pu.

– Au premier rang des belles valeurs, je place ex-æquo l'amour de la patrie et du poulet frit! rugit-il. Juste après, vient l'amour des femmes. Toutes mériteraient un piédestal.

– J'ignorais que l'héroïsme pouvait se hisser jusque-là.

– Votre humour mériterait à lui tout seul une médaille en sucre...

Ils arrivaient. Harvey lui posa les mains sur les épaules et il frotta son front contre le sien :

– J'aime tellement quand vous êtes détendue. Si seulement ce n'était pas si rare...

– Cela dépend peut-être de vous..., murmura-t-elle en sortant de la voiture.

L'accueil fut chaleureux et la soirée passa beaucoup plus vite que Dinah ne l'avait pensé. Les dames un peu frêles et les messieurs chauves avaient adopté Harvey dès la première seconde, quand il avait franchi le seuil de sa démarche nonchalante. Il était partout à la fois, servant le punch, attrapant les assiettes à la ronde et s'extasiant sur les abominables « nouilles à la Chinoise ». Il parlait, souriait, tapotait des mains, buvait, s'esclaffait et parlait encore jusqu'à ce qu'un cercle se soit refermé autour de lui en un silence attentif entrecoupé de légers craquements de chaises et de toussotements étouffés.

Dinah lui avait volontiers cédé la place d'honneur qu'elle occupait en pareilles occasions. Il racontait de vieilles histoires de collégiens, de cow-boys, de joueurs de mandoline et de filles faciles que l'on couche derrière les haies.

Si Dinah s'amusait de le voir dans son élément, elle restait volontairement en dehors du jeu. Elle préférait évoquer pour elle seule les instants précieux où elle l'avait épié, tout à l'heure, sur le parking de l'hôtel. A travers les rideaux ajourés, elle l'avait aperçu, allongé sur son lit défait, torse nu encore et le museau du panda collé à sa poitrine musclée.

La vision était si douce qu'elle avait couru à la porte, tirant trop fort sur la sonnette pour revenir vite à la réalité...

Maintenant, Harvey s'était levé et lui apportait son sac et son caban. Il n'avait eu la permission de partir, qu'avec la promesse de revenir bientôt au club.

— Vous avez été parfait! dit-elle en le prenant par le bras.

— Vous savez, je suis un brave garçon qui, depuis le temps, a appris à se conduire. En doutiez-vous un seul instant? Je n'appartiens peut-être pas à la catégorie des gentlemen classiques, mais ça n'empêche pas le succès! Encore qu'avec vous...

Elle lui pressa amicalement la main et son rire clair retentit dans la nuit.

— Comment faut-il s'y prendre pour vous séduire? hasarda-t-il.

— Ne pas en faire trop. Ou plutôt, ne pas se croire tout permis... Je hais les types qui s'imaginent que vous êtes des objets. Un jour je te prends, et je te laisse le lendemain. Je ne sais pas pourquoi, mais les top modèles ont l'art d'attirer ce genre d'individus. J'en parle en connaissance de cause, d'ailleurs...

— Vous l'avez laissé tomber, j'espère. Il ne méritait plus de vous embrasser. Tandis que moi...

— Vos fantasmes virent à l'obsession, McClure, et vous m'importunez! Si vous continuez, je vous entraîne de force à l'assemblée générale de l'église baptiste!

— Comme il vous plaira. J'adore les Negro Spi-

32

rituals et je connais tous les accords d'accompagnement!

Dinah alluma nerveusement le contact en pestant contre elle-même. Ce n'était pas la peine d'avoir un quotient intellectuel supérieur à la moyenne pour s'émerveiller des reparties d'un homme aussi loufoque et mal élevé...

Finalement, Harvey délaissa les Baptistes pour se rendre à l'invitation des Méthodistes, sous prétexte qu'il avait été élevé dans cette tradition religieuse. Décidément, il faisait comme chez lui et ne doutait de rien.

Mais il fallait croire que l'audace payait puisque son discours du haut de la chaire avait suscité un tonnerre d'applaudissements.

« Il a su leur parler avec des idées simples et des mots de tous les jours, se répéta Dinah. En plus, il a des dons d'acteur. »

Ils s'approchèrent ensemble du buffet. Le turbulent faux prédicateur engloutit d'un coup trois olives brunes et dévida d'une main tout un chapelet de saucisses comme un accordéoniste étirant son instrument.

Dinah le regarda, outrée.

— Tiens, ils ont branché le phono, dit-il, la bouche pleine. J'aime bien la musique de ce Grec. Ou non, Roumain! Mazette. Il sait se servir d'une flûte. Comment l'appelez-vous déjà? Camphor?

— Zamphir! rectifia-t-elle, irritée. George Zamphir.

— S'ils m'avaient posé la question à *La Roue de la Fortune*, adieu les dollars!

— Est-ce que par hasard ce serait votre émission favorite? gémit-elle.

– Je ne crache pas sur ce genre de petites distractions! N'en déplaise aux gens compliqués.

La jeune femme vida son verre et battit en retraite.

« Et dire que j'ai toujours cherché l'homme idéal parmi les érudits de la Renaissance..., soupira-t-elle. Pourquoi faut-il que je rencontre un scribouillard inculte et que je passe le plus clair de mon temps en sa compagnie? »

La nuit était très avancée lorsqu'ils en terminèrent avec les libations et les congratulations d'usage. Dehors, le clair de lune répandait son large faisceau jusqu'aux limites de l'horizon, là-bas, sur les contreforts des montagnes.

– Votre emploi du temps est toujours aussi chargé? demanda Harvey.

– Bien sûr, mais ça ne me coûte aucun effort.

– Il n'y aurait pas, ces temps-ci, un siège de conseiller municipal vacant? Je me verrais très bien l'occuper...

– Vous êtes incorrigible! s'exclama Dinah.

– Mais c'est que je prends vos intérêts à cœur! C'est dangereux de rentrer seule le soir; il y a trop de sous-bois, par ici et les loups y rôdent sûrement. Il vous faudrait aussi quelqu'un pour assurer votre protection.

– Vous, je présume?

– Ce serait en effet un excellent choix! Je sais me battre, figurez-vous.

– Je n'en ai jamais douté! conclut Dinah en riant aux éclats.

– En fait, reprit-il au bout d'un instant, vous êtes exactement le contraire de moi. Ce qui vous manque, c'est mon côté sauvage et bien dans sa peau.

Dinah s'était éloignée de quelques pas et se dirigeait vers un petit parapet. Elle s'y accouda et, silencieusement, elle contempla les étoiles.

Des pas sur le gravier se rapprochaient d'elle; elle sentit bientôt la présence de Harvey toute proche derrière son dos et respira en même temps son odeur d'homme, un mélange d'eau de Cologne et de sueur légèrement acide.

— Dieu se donne du bon temps, vous ne trouvez pas? dit une voix suave à son oreille. Il s'offre un ciel super luxe! Ça ne vous fait pas frissonner? demanda-t-il en la retournant contre lui. L'air est si doux...

Elle se contracta, soudain prise au dépourvu:

— Vous ne m'avez jamais dit comment c'était chez vous... J'avoue que ça m'intrigue, commença-t-elle d'une voix faussement convaincue. Vous vivez dans une caravane, peut-être.

— Pire, une cabane! Je vous assure, c'est la stricte vérité. Mais j'ai une piscine, un avocat et un médecin pour voisins, un jardinier et même une femme de ménage. Enfin, une fois par semaine. Nécessaire et suffisant, quoi.

— La description me ferait plutôt penser à une résidence secondaire. Mais je plains la personne chargée de remédier au désordre. Elle doit se borner à un coup de torchon entre les piles de livres. A supposer d'ailleurs qu'elles ne soient pas trop branlantes.

— Je suis civilisé, quand même! Et je n'ai pas l'habitude de laisser mes épluchures par terre. Un joueur de golf conserve un minimum de convenances.

– Je ne vous imaginais pas non plus tirant votre caddy et enfonçant vos fines chaussures à crampons sur la pelouse des privilégiés. Quand cesserez-vous de m'étonner? Avouez que vous avez plutôt des allures de camionneur...

– Je vous déçois? Mais vous aussi, Dinah, vous êtes quelqu'un d'étonnant. Jamais là où on vous attend. C'est bien la première fois que je rencontre un mannequin qui parle et qui ne dit pas d'idioties!

Ils se turent brusquement et écoutèrent un moment les bruits lointains de la route qui filait vers le nord.

– Dinah, croyez-vous aux proverbes?

Devant son silence, il poursuivit:

– Je pensais à celui qui dit: «Il n'est jamais trop tard pour bien faire»... Laissez-moi vous prendre dans mes bras.

– Non. Il m'en est venu un autre à l'esprit. Et celui-là, j'y crois. C'est «Qui se ressemble, s'assemble». Vous conviendrez que tous les deux, on ne coïncide pas vraiment avec l'idée!

Harvey ramassa une pierre et, de dépit, la jeta au loin.

– Je vous ai blessé? dit-elle à voix basse.

– Je me demandais seulement si vous envoyiez balader tous les hommes de cette façon.

Avant même qu'elle ait eu le temps de freiner son geste, elle posa la main sur sa joue et le caressa lentement, longuement. Incapable de résister, Harvey l'attira contre lui et enfouit sa tête dans ses cheveux.

– Je voudrais tellement..., murmura-t-il.

– Ce n'est pas raisonnable. Et puis, j'ai besoin

de réfléchir. Depuis que tu... que vous êtes revenu, je ne comprends plus ce qui se passe en moi. Je...

— Tu veux que je parte?

— Si je t'en suppliais, le ferais-tu?

— Sûr que non, cria-t-il dans la nuit.

— Je le savais, soupira-t-elle.

3

C'ÉTAIT l'heure du déjeuner et, dans la salle de réunion du collège municipal, tous les enseignants s'accordaient un moment de détente avant la reprise des cours. Ils devisaient gaiement. Dinah écoutait leurs rires et leurs éclats de voix.

Elle constata encore une fois que leur conversation tournait autour d'un certain Harvey McClure et de son absence remarquée.

Depuis quelque temps, tout se passait dans la ville comme si on ne pouvait parler ou agir sans l'approbation de ce damné journaliste.

— Je me souviens d'un de ses livres qui m'avait bien plu, intervint John Barkley, le professeur de commerce. Il y décrivait la femme de ses rêves. Une coiffure comme une ruche, des talons aiguilles et avec ça, un tempérament de meneuse. Ce type est génial, vraiment. On se demande toujours jusqu'où il va pousser la plaisanterie.

— C'est un provocateur né! acquiesça Gina Smith, l'agrégée ès lettres. Mais je vous garantis aussi qu'il n'a pas son pareil pour vous brosser un portrait ou vous trousser une intrigue. C'est très vivant ce qu'il fait et toujours incroyablement juste. On sent qu'il a vécu.

– Absolument! renchérit le professeur de sciences naturelles. Et en plus, les noms qu'il invente pour ses personnages, c'est quelque chose. Surtout lorsqu'ils sont réels. Comme cette fameuse «mademoiselle Va-t'en-guerre». Voilà comment il a baptisé sa secrétaire de choc. La pauvre fille... Ce ne doit pas être évident de rester tous les jours à la hauteur de sa réputation. Qu'en pensez-vous, Dinah?

– Je ne me suis pas penchée sur les œuvres de ce monsieur. C'est à lui qu'il faudrait poser la question.

A cet instant, quelqu'un ouvrit brutalement la porte, arrêtant net la discussion.

– Quand on parle du loup..., murmura une voix.

Harvey McClure sourit de toutes ses dents et déposa sur la table un volumineux paquet taché de graisse.

– Tenez! cria-t-il à la cantonade. Les sandwiches, ça ne nourrit pas son homme et vous devez en avoir assez, non? Je vous ai apporté un bon gros poulet bien croustillant.

Dinah dévisagea l'intrus, ses cheveux souples en bataille, son éternel jean et un vieux parka vert bouteille jeté négligemment sur ses épaules.

– Qui vous a permis d'entrer ici? rugit-elle.

– Le proviseur. Je l'ai croisé dans le couloir. Lou Parker a une tête sympathique. J'ai été ravi de le connaître... Enfin, vous savez, on a échangé deux ou trois mots. Mais bon, je lui ai promis d'être là pour la fête du collège. Ça l'a détendu tout de suite.

Il fit une petite moue comique et s'assit sans y être invité. Dinah soupira, résignée.

– Eh bien, bon appétit! dit-il joyeusement en extirpant du sac une cuisse dégoulinante. Servez-vous. Fred me l'a sorti directement de la rôtissoire. J'en avais déjà l'eau à la bouche.

– Comment diable avez-vous déniché sa boutique? s'étonna le professeur de chant.

– C'est tout simple. Le capitaine Cluck s'est occupé de ma barbe et ensuite, il m'a proposé un poker. On a bavardé et voilà. La matinée a passé comme un éclair. J'ai perdu mais je ne regrette rien parce que j'ai été littéralement emballé par le vieux Bascom Lewis. Il a joué comme un prince!

– Savez-vous, Harvey, intervint Dinah, que c'est le plus fieffé ivrogne du canton. Et les cures de désintoxication n'ont rien changé. Il est pire qu'avant. Je me demande vraiment ce qui peut vous fasciner chez lui.

– Sa façon de raconter les histoires, ma chère. Il en a vu des drôles, dans sa vie, croyez-moi! Tous ses amis n'étaient pas très fréquentables, mais quelle trempe! Il en a connu des tas. D'ailleurs, on n'arrivait plus à se quitter. Il a fallu qu'on se fasse un billard.

Dinah se rembrunit et picora distraitement sa salade de riz. Ses collègues semblaient sous le charme. Elle aussi, elle se sentait prête à succomber à cet enthousiasme qui caractérisait Harvey McClure chaque fois qu'il se trouvait en public. Il aimait les gens et savait le leur montrer par une poignée de main ou un sourire. Qui n'aurait pas envié ce don?

Elle le regarda dévorer son poulet sans fourchette ni serviette et se sucer voluptueusement les doigts après chaque bouchée.

« Il mange comme un sauvage. Un carnassier. Il est tout bonnement irrésistible... »

Il avait encore la bouche à moitié pleine que déjà il recommençait à parler :

— J'admets que les écrivains ont pas mal d'avantages. Ils occupent leur temps comme ça leur chante. Tout à l'heure, je vais pousser jusqu'à Birmingham, faire un ou deux parcours de golf avec le député-maire et ensuite, je reviens ici. Car pour ne rien vous cacher, mes amis, j'ai l'intention de convaincre Mlle Sheridan de m'accompagner à la chasse.

Dinah fronça les sourcils et lui jeta un coup d'œil courroucé. Il n'allait tout de même pas disposer d'elle à sa guise ! Quel toupet !

— J'aurais deux mots à vous dire, monsieur McClure. En particulier, si vous le permettez...

Les témoins ne se le firent pas répéter et s'éclipsèrent discrètement.

— Quelle est cette nouvelle lubie ? commença-t-elle d'une voix tendue. Et si, moi, je n'ai pas envie de porter votre gibecière !

— Bah... Ce prétexte-là ou un autre... Savez-vous que je n'ai pas tenu un fusil depuis que j'ai quitté le Texas ? Et je serai bien incapable de baguer un pigeon, même si on me le servait aux petits oignons dans un restaurant. A propos, reprit-il en lui jetant un regard audacieux, quand m'invitez-vous à dîner ?

— Ma foi... Vous me prenez un peu au dépourvu... Euh... Disons ce soir ? Vers sept heures, d'accord ?

Dinah venait de se sidérer elle-même. La réponse avait jailli de sa bouche, comme ça, sans

réfléchir, comme si elle s'attendait depuis longtemps à la question et comme si un besoin impérieux l'avait poussée à accepter.

Harvey s'était levé et lui tendait cérémonieusement la main.

– Alors on marche comme ça? Vous êtes sûre
que vous ne reviendrez pas sur votre décision, au
moins?

Elle sourit faiblement et le vit sortir, de sa
démarche un peu traînante, une main dans la
poche arrière de son jean.

Noureïev, planté fièrement sur son perchoir,
lâcha avec dédain sa cacahuète et crachota. Puis il
s'enroula autour de la barre et, dans un grand
ébouriffage de plumes, il renversa son récipient à
eau. Dinah l'avait délaissé et l'oiseau donnait libre
cours à sa mauvaise humeur. Il essaya encore l'un
de ses bégaiements qui généralement attiraient
l'attention de la maîtresse de maison:

– Je pense, donc je suis. La faute à qui donc?
railla le perroquet. A qui donc, je vous prie?

Le résultat fut immédiat et Dinah tambourina
sur la cage:

– Tu me casses les oreilles! Si tu continues, je te
mets sur la véranda. J'aurai déjà assez d'un mâle
tout à l'heure pour ne pas supporter tes caprices à
toi aussi.

– Toi aussi! Suffit! Suffit!

La jeune femme lui tira la langue et retourna à
ses fourneaux. Harvey serait bientôt là et il restait
tout à faire.

«Je me demande pourquoi je me donne du mal
pour un bipède de son espèce. En plus, je ne suis

pas son type, alors pour quelle raison vient-il mettre son nez ici? Il a le don de m'énerver, vraiment. Mais qu'est-ce que je fais à tourner en rond?»

Un instant plus tard, elle entendit les roues de la Cadillac mordre sur le gravier du chemin. Elle écarta les rideaux et les rabattit aussitôt. Elle dénoua à la hâte son tablier et se passa machinalement la main dans les cheveux. Un coup d'œil à la glace et déjà on sonnait à la porte. Elle courut ouvrir. Chopin attendrait...

Au moment de débloquer le verrou, elle se ravisa. Il pouvait bien patienter quelques secondes de plus, ce qui lui permettrait à elle de se composer un visage impassible. Le tout était de conserver un air dégagé tout au long de la soirée.

Elle retira la chaîne et sourit mécaniquement:

– Hello, dit-elle. Bienvenue.

Harvey se tenait sur le seuil, un filet à provisions à la main. Il ne répondit pas à son salut et, d'un seul regard, la déshabilla de la tête aux pieds. Il esquissa une moue appréciative de ses lèvres sensuelles et se disposa à entrer. Elle le précéda sans oser se retourner.

– Eh bien, commença-t-elle en se raclant la gorge, la chasse a été bonne?

– Je m'assieds d'abord et ensuite je vous raconte. Pour être franc, reprit-il, couci-couça. Les palombes sont farouches comme des vieilles filles!

– Vous auriez dû emmener Dewey avec vous. Il les déniche comme personne. Et c'est un chic type.

– Oui, mais braconnier sur les bords. Avouez

que c'est un mauvais point quand on porte l'insigne de chef de la police.

Il se leva d'un bon, s'approcha de la cheminée et agita les doigts au-dessus des flammes avec un soupir de satisfaction.

Dinah avait enfourché le tabouret devant le piano et vérifia la pédale.

– Vous jouez? Vous joueriez pour moi? implora-t-il.

– Tout à l'heure, si vous y tenez. Mais je crois maintenant qu'il est temps de passer à table.

– Alors, suivons l'hôtesse. Si j'en juge par le cadre, je gage que le repas promet d'être raffiné.

– J'ai refait la décoration récemment, dit-elle comme pour se justifier. Euh... Si vous vous mettiez à l'aise? Donnez-moi votre manteau. Je reviens. Prenez place, je vous en prie.

– Oui, mais à une condition. C'est que vous rajoutiez un couvert pour ce jeune homme, lança-t-il en montrant du doigt le panda qui faisait le guet sous la cage du perroquet.

– D'où sort-il, celui-là?

– Je ne peux pas m'en séparer, il me suit comme une ombre.

Dinah sourit en accrochant le vêtement à la patère.

C'était comme si le petit animal devait toujours se glisser entre eux...

– Vous avez apporté de la bière? demanda-t-elle en ouvrant le sac.

– Vous n'y êtes pas du tout! Pour un dîner en tête à tête, il faut du champagne. Même sans chandelles... Vous pouvez me faire confiance sur le millésime, reprit-il en caressant l'étiquette. Je suis allé spécialement l'acheter à Birmingham et vous m'en direz des nouvelles.

– Ça se boit frappé, il me semble. Je vais chercher le seau à glace.

– Eh, pas si vite! cria-t-il en la retenant par la manche. Vous ne m'avez pas encore remercié! Embrassez-moi...

Leurs lèvres se joignirent en un baiser très doux qu'ils prolongèrent longtemps.

– Encore..., murmura-t-il. Je veux sentir tes mains sur mon dos. S'il te plaît... Quand tu plaques tes doigts sur moi, c'est comme si tu jouais du piano. Tu me fais vibrer... Ça me rend fou! Est-ce que tu comprends ça?

Harvey avait posé sa bouche sur son cou. Sa moustache de velours allait çà et là sur la gorge de Dinah. Elle avait renversé la tête en arrière, en proie à un troublant vertige.

– Je n'ai pas envie d'être raisonnable, jeune fille. Tu ne voudrais tout de même pas qu'on s'arrête en si bon chemin... Si on passait dans ta chambre?

Elle respira pesamment et ses joues s'empourprèrent.

– Pour qui me prenez-vous? Pour une poupée qui pleure et qu'on couche? Pour une fille qui dort avec ses faux cils et son mascara. C'est ça?

– J'ai bien le droit de rêver, non? Écoute-moi, jeune fille, je...

– Ça suffit avec vos petits noms ridicules!

– C'est drôle, reprit-il de sa voix calme et grave, tu ne me dis jamais des choses tendres, des mots rien qu'à nous... Ma secrétaire prétend pourtant qu'il en existe tout une collection. Et du plus tendre au plus cru!

Dinah ne laissa pas passer l'occasion de conversation :

— Vous parlez de la fameuse mademoiselle Vat-en-guerre?

— On ne peut rien vous cacher. Elle n'est pas toujours facile à vivre, mais c'est une fille épatante! Elle est restée trois ans dans la marine et parfois ses manières s'en ressentent. Elle est surprenante, disons. En ce moment, elle travaille la nuit à ses cours de psychologie. Rien ne l'arrête et on se demande toujours ce qu'elle va inventer pour dépenser son énergie. Ah oui, ajouta-t-il avec un sourire de tendresse, j'oubliais de dire qu'elle est ceinture noire de karaté.

— Karaté! Saké! Japonais! hurla-t-on du fond de la cuisine.

Harvey s'interrompit et jeta sur Dinah un regard interrogateur.

— Chacun ses animaux familiers. Moi, c'est un perroquet, expliqua-t-elle. Il s'appelle Noureïev. A cause de ses pas de deux au moment de la parade nuptiale. C'est effrayant, ça le rend même polyglotte!

— Vous devriez essayer de lui apprendre l'espéranto. C'est toujours si difficile de se faire comprendre... Il suffit de nous voir, nous.

Dinah préféra ne pas poursuivre sur ce terrain et, saisissant une carafe en cristal, elle lui versa un verre de vieux porto couleur d'ambre. Harvey en but une gorgée et la savoura lentement. La jeune fille revenait, une casserole en cuivre à bout de bras.

— Vous aimez le coq au vin, j'espère?

— Moi, vous savez, du moment que ça ressemble au poulet et que ça trempe dans la sauce...

Le panda sauta brusquement sur ses genoux et avança une patte sur la nappe. Harvey le souleva aussitôt et lui ébouriffa le ventre.

– Un de ces jours, je vais de remettre dans tes bois, mon bonhomme. Et tu pourras courir où tu voudras...

– Vous allez vraiment vous en séparer?

– Probable, oui. C'est la nature. Vous croyez que je peux le lâcher ici, dans le jardin?

Dinah secoua la tête en souriant mais il était déjà parti et ouvrait la porte de la remise pour rendre la liberté à son protégé.

« Il se sent comme chez lui et c'est bien », pensa-t-elle.

– Il fait un tour près des ruches, annonça-t-il, un peu inquiet. Pourvu qu'elles ne lui piquent pas le nez...

Dans la pièce douillette, l'atmosphère calme et détendue incitait aux conversations à bâtons rompus, comme lorsqu'on dîne ensemble, entre amis.

Dinah évoqua le souvenir de sa mère Julie. Elle aussi, elle avait été Miss Georgie, mais elle était morte brutalement d'une fièvre méningée, il y avait maintenant douze ans. C'est ainsi qu'à l'âge de l'adolescence, sa fille avait repris le flambeau et suivi le même chemin pour perpétuer son image.

– Ne croyez pas que mon père ait cherché à m'influencer, insista-t-elle comme pour prévenir toute question. Non, il voulait que je réussisse là où elle n'avait pu parvenir à se hisser. Elle avait tant rêvé du titre de Miss Amérique... Mais elle n'en a pas eu le temps. Alors...

– Je comprends. Je connais la suite. Combien de concours avez-vous décroché?

– Six en six ans, pourquoi? Je me suis arrêtée à vingt et un ans. Et je me rappelle que pour le premier, ils m'ont élue Miss Caoutchouc. Il faut dire, ajouta-t-elle en riant, que le sponsor était industriel dans cette branche!

– Je suppose que vous avez des trophées plein vos placards!

– Ils sont au fond d'un carton. Vraiment, ça ne m'intéresse pas du tout. D'ailleurs, il était temps que j'arrête. On se lasse des séances de maquillage et de pose, vous savez. En plus, ils vous bombardent d'échantillons de parfums tous plus horribles les uns que les autres. Et je vous garantis que l'on n'a pas assez d'une vie pour se débarrasser de ces odeurs!

– Très peu pour moi, en effet. Mais c'est curieux tout de même d'interrompre sa carrière avant de conquérir le plus beau titre... J'ai appris que votre décision avait coïncidé avec le décès de votre père. Vous le confirmez?

Dinah flaira immédiatement en lui la curiosité du journaliste et choisit d'y couper court. Elle se leva et commença à desservir. Harvey rattrapa à la volée la serviette qu'elle venait de laisser échapper et la fixa de son regard intimidant.

– Je vois que l'interrogatoire est en route, dit-elle faiblement. S'il faut absolument s'y soumettre, apprenez qu'il s'est tué à bord d'un petit Cessna, la veille du grand jour. Inutile de vous dire que je n'avais pas le cœur à défiler! Surtout que c'est lui qui avait insisté pour que j'y participe.

48

– Justement, vous auriez dû respecter ses dernières volontés...

– Ne parlez pas de choses que vous ignorez, McClure! Pour moi, c'est déjà suffisamment douloureux comme ça...

– Comme vous voudrez.

Harvey fit craquer ses doigts et se mit à souffler sur son café. Puis il regarda en silence le sucre se dissoudre dans la tasse.

Dinah se sentait prise entre le désir de se libérer du poids qui l'oppressait et la volonté farouche de préserver son terrible secret.

De sa mémoire surgissait maintenant un personnage aussi redoutable qu'encombrant. Il s'appelait Todd Norins et animait avec un certain succès une émission grand public sur l'une des chaînes nationales. C'était cet homme-là qui, des années auparavant, avait, par ses déclarations et ses sous-entendus, jeté le discrédit sur le père de Dinah. Aujourd'hui encore, sa voix éraillée et ses yeux froids peuplaient les cauchemars de la jeune femme...

Silencieusement, des larmes coulèrent sur son visage. Harvey s'approcha d'elle et lui prit doucement la main.

– C'est ma faute, n'est-ce pas?

Elle secoua la tête comme une petite fille.

– Ce n'est rien, soupira-t-elle. Mais... Si on changeait de sujet?

– J'ai un plan! dit-il, soudain plein d'entrain. Tu dois bien avoir des photos de toi en tenue d'Ève. Parce que... J'ai un copain qui les monte sur calendrier. C'est super! Tu ne trouves pas?

– Et certainement du meilleur goût, pouffat-elle. Tu es indécrottable, monsieur. Il va falloir que je songe à parfaire ton éducation. Que dirais-tu d'un prélude de Chopin?

– Comment veux-tu que mon âme reste en paix quand je t'entends me tutoyer pour de bon?

Ils éclatèrent de rire et passèrent au salon.

Longtemps, Dinah parcourut le clavier de ses doigts souples et nerveux, la nuque courbée et les lèvres serrées, absorbée tout entière par la musique qu'elle lançait en cascades.

Harvey tapotait la mesure sur les accoudoirs du fauteuil. Puis, lorsqu'il en eut assez de croiser et de décroiser les jambes, il émit un profond bâillement qui arrêta net la concertiste dans son adagio.

– Le mélomane digère, à ce que je vois..., murmura-t-elle avec indulgence.

– C'est-à-dire qu'il pense à autre chose, plutôt.

Dinah le reçut tout contre elle. D'un geste brutal, presque violent, il l'avait enlacée et la pressait de toutes ses forces comme si elle lui appartenait déjà.

– J'ai envie de toi plus que tout au monde, souffla-t-il. Tu ne peux pas me refuser indéfiniment!

Elle écarquilla les yeux, les ferma, les rouvrit, incapable de penser, de le retenir dans son élan ou de lui céder ses lèvres.

Les caresses d'Harvey se faisaient plus impatientes et plus précises. Déjà, leurs bouches se mêlaient. Il était le maître du jeu et elle se sentait livrée à sa terrible exigence. Il embrassait ses paupières, touchait ses cheveux en tous sens, la regardait, son cou, ses épaules, ses hanches et ses mains fébriles revenaient à l'échancrure du chemisier, voletaient ailleurs, sur sa peau maintenant, plus bas, toujours...

Dinah gémit sous les morsures délicates. Il avait posé sa moustache sur sa nuque et la sensation était exquise.

– Cette nuit..., haleta-t-il. Et d'autres nuits encore. Quand tu veux... Comme tu veux.

Elle enfouit les doigts dans sa chevelure et, lentement, avec une tendresse infinie, prolongea son geste jusqu'à ce qu'il grimace de plaisir.

– Laisse-moi t'aimer. Oh oui, maintenant, s'il te plaît!

Elle le repoussa soudain.

– Non, Harvey. Ce n'est pas possible. Nous avons trop peu de chose en commun. Et il y a des erreurs qui ne pardonnent pas! Restons-en là, c'est plus sage.

– Mais, protesta-t-il les yeux fous, tu ne peux pas dire ça! Tu n'as pas le droit, tu entends? Accorde-moi une chance, au moins! Tu vas me jeter comme un vulgaire séducteur, hein? C'est ça? Bon sang, que faut-il que je fasse pour te convaincre que je me fiche des aventures? Écoute-moi. Je veux rester avec toi. Et avec toi seulement. Vas-tu comprendre, à la fin?

– Harvey. Calme-toi. Toi aussi, tu te trompes si tu crois que je suis une pimbêche. Vraiment. J'essaie de te dire simplement que nos manières de vivre sont incompatibles. Et, entre nous, ce n'est qu'un jeu... Il y a certaines limites à ne pas franchir...

– La belle excuse! Mais je ne l'accepte pas. Courage, fuyons, voilà ta devise! Ce n'est pas la mienne, autant te prévenir tout de suite.

— Tu ne veux pas que nous soyons amis? risqua-t-elle.

— Comme si tu ne savais pas que les relations entre un homme et une femme dégénèrent toujours... Non, au point où l'on en est, je ferais mieux de partir! dit-il en enfouissant sa tête dans ses mains.

— Tu as raison. Et peut-être devrais-tu rentrer à Birmingham... Ce serait plus sain. Au moins pour l'instant.

Il avait déjà décroché son manteau. Il resta un moment, les bras ballants, à la considérer, incapable de se résigner à ouvrir la porte.

— Bonne nuit, jeune fille... Et garde bien ton mystère pour toi.

— Attends! Je te raccompagne jusqu'à la grille.

Lorsqu'ils arrivèrent à la voiture, un petit animal inquiet s'était couché sur le gravillon, ses yeux fureteurs brillant dans la nuit...

«Toi non plus, gentil panda, tu n'avais pas envie que le vagabond s'en aille tout seul...», pensa Dinah en fermant ses volets.

4

– Allons, mademoiselle Sheridan, encore un
petit effort! Poussez bien sur vos bras! Oui,
comme ça. Étirez les muscles. Attention, une et
deux et une et deux! Calez la barre sous le menton
et allongez. C'est bon pour les abdominaux.

Dinah souffla et reposa les haltères. Étendue
sur le dos, les jambes repliées, elle s'accorda un
instant de répit. Il y avait une heure qu'elle
s'entraînait dans la salle de gymnastique du collège et ses os rompus méritaient une pause.

« Je vieillis, pensa-t-elle. Je n'ai plus le rythme.
Déjà rouillée à vingt-sept ans! C'est horrible. »

– Courage! dit l'une de ses élèves en lui tendant
une serviette. Il faut souffrir pour être en forme!
Vos muscles sont bien échauffés. Profitez-en!

– Tu as raison. Je ferais mieux de suivre
l'exemple des stoïciens... La plus grande vertu
n'est-elle pas la persévérance?

– Qui c'est ceux-là? Une équipe de base-ball?

Dinah préféra sourire et regarda l'adolescente
s'éloigner, son sac de sport à l'épaule.

Les reins sur le sol dur, elle restait toujours
immobile dans la pièce maintenant déserte. La
sueur perlait à son front et elle avait fermé les

yeux, incapable de bouger. Elle se passa la langue sur ses lèvres sèches et tenta de se redresser. Ses membres courbatus lui arrachèrent un gémissement.

« Tant pis! Debout, j'ai trop soif! »

Elle ramassa ses affaires et se dirigea d'un pas fatigué vers le distributeur. La machine avala la pièce et la lui rendit aussitôt. Dinah renouvela l'opération et appuya résolument sur le bouton de sélection qui devait faire tomber le gobelet et le remplir de jus d'orange. Son geste ne déclencha qu'une série de bruits divers et confus, comme si l'appareil venait d'entreprendre une pénible digestion.

La jeune femme se mit à pester et, après avoir agité toutes les manettes, finit par loger un coup de pied rageur dans le ventre de l'engin récalcitrant.

— On a des problèmes, ma petite dame? dit une voix forte derrière elle.

Dinah l'identifia immédiatement et se retourna sous l'effet de la surprise : Harvey McClure se tenait sur le seuil, bras croisés.

— Vous arrivez à pic. C'est une chance..., balbutia-t-elle en essayant de lui sourire.

— Je suis le bon génie, vous ne le saviez pas? Il n'y a pas un percolateur au monde qui pourrait me résister. Je connais les circuits à soda comme ma poche et je les remonte les yeux fermés. Laissez faire le spécialiste des machineries. J'en ai pour une seconde!

Harvey retroussa les manches de sa veste de chasse et remonta légèrement les jambières de son velours côtelé sur ses bottines avant de s'accroupir. Il posa l'oreille contre le mécanisme et actionna lentement le levier du changeur de monnaie.

– Apparemment, ça ne vient pas de là..., constata-t-il, dépité. A moins peut-être de le secouer plus fort.

Ce qu'il fit sans succès. Il jeta un œil mauvais sur la vitrine où s'alignaient les bouteilles de Coca et de Seven-Up en une désespérante immobilité. Harvey tapa dessus de toutes ses forces et massa aussitôt sa paume endolorie.

– Maudite invention! Mais je vais te faire céder! Si j'avais un marteau, le tour serait vite joué.

– Elle est déjà sérieusement amochée, constata Dinah. Là, regardez. Ce n'est pas normal, ce liquide qui coule!

– C'est malin. Merci pour vos encouragements! Je vous signale que je fais ce que je peux!

– En effet, mais vos façons de macho ne semblent guère convenir aux systèmes délicats.

– Qu'est-ce que vous insinuez par là? Après tout, je fais ça pour vous rendre service, moi. Parce que je ne sais pas ce que vous feriez sans homme. Et d'ailleurs, vous auriez vous aussi besoin qu'on vous cogne de temps en temps!

Dinah eut un rire suave qui désamorça sa colère:

– Naturellement, je plaisantais..., s'excusa-t-il.

– Mais moi aussi.

– Alors nous sommes quittes!

Harvey se redressa et s'approcha d'elle. D'un geste lent, presque grave, il lui caressa la joue:

– Est-ce que tu veux bien m'accepter à tes côtés pour la fête de l'école? Mais surtout, tu ne t'éloigneras pas d'une semelle, hein? J'ai bien trop peur de tes élèves. Les filles de leur âge, ça a le sang chaud. Et c'est le genre à tourner autour des hommes mûrs.

– Ton panda ferait un excellent garde du corps. Non?

De nouveau, il s'était mis à ausculter la machine et Dinah, de guerre lasse, s'assit par terre, le menton sur les genoux.

Avec son survêtement violet et ses cheveux relevés d'où s'échappaient des boucles folles, son allure était plus juvénile encore et le réparateur d'occasion la trouva adorable. Dans ces conditions, il fallait bien se rendre à l'évidence : il lui devenait de plus en plus difficile de se concentrer.

– Tu crois que je vais venir à bout de cette capricieuse? Un séducteur de la trempe de John Wayne, Dieu ait son âme, ne parviendrait pas à la mettre sous sa coupe.

– Et si j'appelais le concierge? suggéra Dinah, compréhensive. Avec le mode d'emploi et des outils, ce ne devrait pas être sorcier pour lui...

– J'ai horreur de m'avouer vaincu devant les femmes, pleurnicha-t-il.

Elle éclata de rire :

– Si seulement j'avais un appareil photo! J'imagine déjà la tête de tes admiratrices si elles te voyaient dans cette posture. De quoi ruiner ta réputation.

– Ces railleries méritent au moins un peu de consolation, remarqua-t-il en la forçant à se relever.

Déjà, il l'enlaçait et posait les lèvres sur les siennes.

56

Dinah n'eut pas un geste de refus. Elle agrippa son cou et lui offrit sa bouche. Leur baiser devenait de plus en plus profond et la fièvre commençait à s'emparer d'eux.

— On n'aurait jamais dû se quitter, l'autre soir, murmura Harvey. Et tu le savais. Tu viens de m'en donner une preuve superbe.

— Il y a des endroits plus romantiques pour les serments, tu ne trouves pas? Surtout que... Quelqu'un pourrait nous surprendre.

— Dites-moi, madame le maire, est-ce qu'une fois dans votre vie, vous accepterez de vous laisser aller?

— J'ai mes raisons, soupira-t-elle. Il y a bien longtemps que...

— Qu'un homme ne t'a pas touchée? C'est ça? dit-il en lui serrant les poignets. Tu es tout à fait spéciale, tu sais! Un petit prof incorruptible qui s'effarouche quand on lui fait des avances! Mais qu'est-ce que j'ai fait au ciel? Pourquoi je reste là, cloué, à attendre que tu sois prête? ajouta-t-il à voix basse. Te décideras-tu un jour à lâcher tes secrets? Tu ne comprends donc pas que je t'aime et que ça me met à la torture!

— Ce n'est si pas simple et je...

— Tais-toi! L'important, c'est de vivre. Je me tue à te le répéter! Et toi, tu meurs d'envie de dormir avec moi, seulement voilà, tu n'oses pas!

Il s'arrêta, le souffle court, et la dévisagea. Dinah frissonna, incapable de soutenir son regard. Elle appuya sa tête contre sa poitrine musclée. Harvey se pencha vers elle et, avec une infinie douceur, frotta sa moustache sur sa nuque.

C'était comme si, brusquement, sa peau, ses

nerfs et ses sens s'embrasaient. Plus rien ne comptait à cet instant que cette bouche exquise qui musardait et s'attardait sur son cou, à la naissance de ses cheveux.

Il semblait partager les mêmes émois et il n'arrivait plus à se contenir.

– Tu tiens vraiment à t'échapper? chuchota-t-il.

– Il le faut bien...

– Tu ne veux pas prendre quelque chose? Un déca avant de partir? Enfin, si le percolateur n'est pas en panne...

Elle acquiesça, amusée:

– Si ça te dit, on pourrait peut-être passer la soirée ensemble. Mais je te préviens, je dois être à l'heure au stade pour donner le coup d'envoi du match de football...

– Je ferai l'arbitre! conclut-il en lui envoyant un baiser.

Wally Oscar occupait la place enviée de président de la Chambre de commerce. Pour le reste, il était propriétaire d'un magasin d'antiquités, avec poste à essence attenant, et situé au bord d'une route, un peu à l'extérieur de la ville.

Ce soir-là, il siégeait à la tribune officielle aux côtés de Dinah et se trémoussait sur les gradins en criant à tue-tête chaque fois qu'un joueur de Mount Pleasant s'approchait des buts adverses. En ces occasions-là, ce n'était plus qu'un supporter acharné qu'il fallait sans cesse retenir par la manche.

La jeune femme souriait de le voir trépigner et, pour la centième fois, elle se dit qu'avec ses cheveux blancs et drus montés en toupet sur son crâne, il avait l'air d'un homme sorti tout droit d'un transformateur électrique.

Wally attrapa la Thermos qu'il apportait toujours et qui était seule capable d'apaiser ses soifs légendaires :

— Une gorgée? dit-il en la tendant à Harvey.

— Volontiers, répondit l'autre en ingurgitant cul sec l'étrange mélange de pur malt et de café colombien.

— Ce n'est pas de la limonade, hein, McClure? J'ai goûté ça dans ma jeunesse, au collège. C'étaient des coups à vous mettre le diable dans le pantalon!

Harvey et Dinah échangèrent un regard complice et unirent leurs mains. Ils éprouvaient de plus en plus de tendresse pour ce vieil homme si nature.

— J'espère que tu ne t'ennuies pas trop, chuchota-t-elle.

— Si, soupira-t-il en riant. Et c'est pour ça que je bois!

Jamais Dinah ne s'était sentie aussi bien. La nuit était calme et claire, le jeu superbe, les spectateurs enthousiastes et les doigts d'Harvey, croisés aux siens, lui semblaient une promesse heureuse.

Elle jouissait de l'instant présent, de la douceur de l'air et de cette intimité entre eux qu'ils s'efforçaient tant bien que mal de dissimuler aux regards...

« Mais, que se passera-t-il après? Et lui, que fera-t-il? »

Dinah revint sur la pelouse où l'un des gardiens de but venait de s'aplatir, la balle contre la poitrine. Puis elle jeta un coup d'œil sur sa gauche et aperçut Willy, les oreilles sous un casque stéréo.

– C'est sa seconde passion, expliqua-t-elle à Harvey qui désignait du doigt l'original brocanteur.

– Profitons-en, lui dit-il en baissant la voix. Pendant qu'il ne fait pas attention à nous...

Il se mit à remonter la robe de la jeune femme jusqu'à découvrir ses genoux.

– Je préfère te voir habillée en femme, murmura-t-il. C'est beaucoup plus excitant qu'une tenue de gym! Ceci dit, le mauve te va bien.

– Non, pas le mauve. Le violet.

– Tu ne vas pas chicaner pour un détail!

Dinah protesta quelques secondes en son for intérieur mais elle finit par lui donner raison. Elle appréciait de plus en plus sa façon de réagir, lui qui ne cherchait pas midi à quatorze heures et ne s'encombrait jamais de scrupules ou de choses superflues.

Avant le match, ils avaient dîné dans une pension de famille où la patronne servait les clients de passage à la fortune du pot. Elle les avait pourtant régalés de poisson frais, de légumes cuits à la vapeur et de profiterolles maison.

Harvey s'était montré bavard. Il lui avait confié son horreur de l'astrologie, les flashes météo, les ordinateurs, les dentistes, et les réveils aux aurores surtout.

Ensuite, il lui avait raconté tout ce qu'il avait appris sur elle de la bouche de ses administrés. Ce qui les étonnait le plus, c'était qu'une personne de sa classe ait pu venir s'enterrer dans leur minuscule ville.

Dinah avait très bien senti à quoi il voulait en venir et elle s'était bornée à lui communiquer des informations qu'il aurait pu obtenir partout ailleurs. Elle lui apprit ainsi que son père avait été le président de l'une des banques les plus puissantes de Georgie et qu'il l'avait élevée dans le luxe. Dinah avait eu une enfance protégée et certainement privilégiée.

Les équipes rentraient au vestiaire aux accents de la fanfare.

Harvey n'avait pas bougé, la main toujours dans la sienne et le sourire aux lèvres. Lorsqu'il se leva en se dégourdissant les jambes, des gamins vinrent à lui et lui demandèrent des autographes. Il signa sans se faire prier, pinça quelques joues et serra les mains à la ronde. Il était vraiment chez lui partout et semblait se soucier de sa célébrité comme d'une guigne.

Il descendit quelques marches et se retourna. Dinah était restée à sa place, visiblement en grande conversation avec un petit groupe. Il franchit d'un bond l'espace qui le séparait d'elle et, ostensiblement, sans crainte du qu'en-dira-t-on, il passa son bras sous celui de son amie :

– Dépêche-toi! glissa-t-il à son oreille. J'ai déjà trop attendu.

– Tu oublies la deuxième mi-temps! Je ne peux pas faire autrement que d'y assister.

– C'est bon, n'insiste pas! soupira-t-il. Heureusement que j'aime les matches. Avant, quand j'étais jeune, je n'en manquais jamais un seul. Tu vois, cette ambiance me rappelle mes racines. La campagne... Les copains... Les bals quand on traînait nos guêtres au hasard et qu'on s'entassait dans de vieilles voitures... C'est fini tout ça, maintenant. Et ça me donne le cafard, même si j'ai de l'argent et que je ne côtoie que des gens huppés dans leurs belles maisons! Pouah!

— Je ne te pensais pas si amer...

— C'est seulement par moments. A trente-six ans, on commence déjà un peu à vieillir.

— Bah, tu dis n'importe quoi! Il suffit de te regarder pour savoir que tu es en pleine possession de tes moyens.

— En cet instant précis, certainement...

Le sourire ambigu qu'il lui adressa fit immédiatement regretter à Dinah ses paroles à double sens.

— Cette spontanéité t'honore, ajouta perfidement Harvey.

Trois quarts d'heure plus tard, l'arbitre siffla la fin de la rencontre. Déjà, les spectateurs envahissaient la pelouse tandis que crépitaient les flashes des photographes.

— Belle victoire! constata Willy. J'espère que vous nous en ferez un bon compte rendu, McClure.

— Je suis venu à titre privé... Mais excusez-moi, on m'appelle.

Une jeune fille s'était postée en face de lui et le dévorait des yeux.

« C'est une gamine, pensa Dinah avec mépris. Et lui qui se pavane comme un coq! Mais je suis idiote! Voilà que je me mets à l'épier comme s'il m'appartenait en propre. Il faut vraiment que je réagisse, ou sinon... D'ailleurs, il n'en vaut peut-être pas la peine. Ce n'est après tout qu'un reporter comme il y en a des centaines! A courir le scoop ou les filles! »

Harvey revenait vers elle. Elle le toisa puis détourna la tête.

— Tu boudes? Tu es jalouse? Tu as tort! La demoiselle était une petite oie et je n'en suis pas encore à faire la sortie des écoles!

— Tu prends tes désirs pour des réalités! On se connaît depuis quelques jours à peine. Et tu crois que tu aurais pu déjà m'inspirer le grand amour? Tu es encore plus prétentieux que je ne le pensais!

— Non, réaliste. A cause de ma longue expérience des femmes, ma chérie...

Dinah attrapa son sac par la bandoulière et le jeta à son épaule d'un geste rageur.

— Ça signifie quoi, ce cinéma?

— Simplement que j'ai envie que les choses soient claires entre nous. Une fois pour toutes! C'est ta faute! Pourquoi cours-tu toujours trente-six lièvres en même temps?

— C'est toi qui me dis ça? Toi qui ne sais pas ce que tu veux? Qui tergiverses, t'embrouilles et n'arrives pas à réparer tes bêtises? C'est un peu fort, tu ne trouves pas? Et d'abord, qu'est-ce que tu me reproches?

— Tout et rien à la fois, justement! s'écria-t-elle, au bord des larmes.

— Allons-nous-en d'ici, dit-il d'un ton redevenu calme. On a besoin de se retrouver, toi et moi.

Il la prit par le cou et l'entraîna vers la voiture, sous le regard étonné des derniers spectateurs.

5

– Bravo! cria Dinah, hors d'elle. Tu avais besoin de te mêler de cette histoire? Seulement voilà, dès qu'il y a de la bagarre dans l'air, monsieur se sent pousser des ailes! Combien de fois faudra-t-il te rappeler que tu n'es pas ici chez toi et que les redresseurs de tort, ça n'existe que dans les feuilletons?

– Mais enfin..., gémit Harvey qui, dans le fauteuil rembourré, avait pris l'attitude d'un gosse honteux et repenti. Tu as bien vu, ce n'est pas moi qui ai commencé! Je leur ai donné un petit coup de main, c'est tout...

– Un coup de poing, tu veux dire! Regarde dans quel état tu t'es mis! Jamais plus je ne te suivrai dans tes virées nocturnes, jamais, tu entends?

– Aïe! Aïe! Gare aux bosses! intervint Noureïev.

Excitée dans sa furie par la remarque intempestive du perroquet, Dinah jeta un torchon sur sa cage.

– Et toi, tu ferais mieux de dormir! hurla-t-elle.

– Toi aussi, railla l'oiseau.

Dans le salon aux lumières tamisées de la villa, le blessé se remettait lentement de ses émotions.

L'incident s'était produit à la fin du match,

quand les voyous de deux bandes rivales s'étaient affrontés dans les tribunes à propos d'une erreur d'arbitrage. Les insultes avaient fusé, immédiatement suivies par des canettes de bière. Harvey, qui voulait empêcher que les choses ne dégénèrent en règlement de compte, s'était interposé et avait décoché un direct du droit sous le menton de l'un des chefs pour le neutraliser. Le groupe s'était alors rué sur l'agresseur et l'avait laissé sur le carreau après un lynchage en règle.

Dinah revint de la salle de bains avec un bol d'eau tiède et tout son nécessaire à pharmacie. Sans un mot et toujours sous le coup de la colère, elle étala une serviette sur ses genoux et sortit coton, désinfectant et pommade pour les bleus.

— Approche-toi de la lampe et voyons ces coupures, dit-elle d'une voix radoucie. Évitons au moins les cicatrices...

— C'est la main surtout qui me fait mal, pleurnicha Harvey.

— Mon Dieu, comme les hommes sont douillets!

Sans plus de façons, elle saisit les doigts meurtris et se mit à masser les articulations.

Il se laissa faire, apaisé.

— Dinah..., murmura-t-il en levant timidement les yeux sur elle. Je suis désolé. Tu es dans de beaux draps, maintenant. Et c'est à cause de moi. Je crois que ce n'est pas encore aujourd'hui que je réussirai à t'épater. Est-ce que tu penses que j'ai manqué de dignité? Mais tu comprends, mon sang n'a fait qu'un tour. Peut-être que j'aurais dû appeler la police pour coffrer ces voyous... Sauf que j'ai voulu défendre ce gamin... Tu sais ce petit mousse. Lui, il n'était pas dans le coup et ils l'ont pris à partie comme des sauvages! Tu dis qu'ils ne sont pas du coin?

– Non. Il y a plusieurs mois qu'ils rôdent dans les parages mais impossible de savoir où se trouve leur quartier général.

– J'avais peur surtout qu'ils te retirent leur vote.

– Même s'ils avaient compté parmi mes électeurs, cela aurait été le cadet de mes soucis. Tu imagines, reprit-elle soudain d'une voix secouée par l'émotion, s'ils t'avaient tué?

– Ils ont préféré m'amocher le portrait, tu vois, souffla-t-il, gêné.

– Voilà ce qui arrive quand on ne réfléchit pas. J'aurais dû me douter qu'avec toi, la diplomatie n'avait aucune chance.

– Les cérébraux ont décidément toutes tes faveurs! Et moi je te dis que ce sont des poules mouillées!

Harvey avait retrouvé toute son énergie et Dinah sourit, rassurée.

Elle saisit délicatement son poignet et y enroula un bandage serré. Lorsque, par ce geste, leurs mains se touchèrent, son visage se crispa et elle rassembla à la hâte les ciseaux et le tulle gras pour les reporter dans la boîte à pharmacie. La chose essentielle était de se composer une attitude et elle y réussit presque.

Mais au moment où la jeune femme tournait les talons, Harvey la rappela :

– L'infirmière n'a pas honte d'abandonner son malade?

Il s'était assis par terre et se chauffait le dos au feu.

— Je te demande de rester quelques heures à mon chevet. Demain, je rentre à Birmingham.

— Mais pourquoi?

Les mots avaient jailli de la bouche de Dinah sans qu'elle s'y attende.

— C'est mieux, non?

— Pour qui? s'écria-t-elle. Est-ce que tu t'es soucié de mon avis?

— Arrête de jouer avec les mots! L'autre jour, tu voulais que je parte! Eh bien, tu récoltes ce que tu as semé.

Elle le regarda, la bouche ouverte et les yeux hagards. Puis, sans un mot, elle se dirigea vers la porte-fenêtre, l'ouvrit et s'enfonça dans l'obscurité vers le petit bois situé derrière la maison.

«Non, ce n'est pas possible. Il ne peut pas me laisser!»

La phrase trottait dans sa tête tandis qu'elle marchait dans la nuit en foulant un tapis de feuilles sèches et craquantes.

Il faisait frais dehors et elle se frictionna les épaules. Soudain, elle devina une présence, à deux pas derrière elle, et se retourna d'un seul mouvement. Harvey l'étreignit déjà.

— Dis-moi que je n'ai aucune chance avec toi. Jure-le et je débarrasse le plancher!

Le cœur de Dinah se mit à battre très vite et elle sentit toutes ses forces se retirer d'elle.

— Reste! avoua-t-elle en tremblant.

Il la serra et l'embrassa passionnément, incapable de parler.

— Oui, reste. Mais que je ne te reprenne pas à jouer les Rambo! ajouta-t-elle en riant.

— Je me sens au contraire extrêmement romantique...

Elle ferma les yeux et posa sa joue contre sa poitrine. Elle ne souhaitait rien d'autre, à cet instant, que ce silence et cette paix partagés. Harvey glissa les doigts jusqu'à ses hanches et les pressa comme s'il voulait y marquer son empreinte. Dinah gémit et se plaqua plus fort contre lui.

– Cet animal sauvage qui dort en toi, si tu lui donnais enfin le champ libre? chuchota-t-il. On ne peut pas toujours tout maîtriser...

Déjà ses lèvres chaudes avaient capturé celles de la jeune femme.

– Il faut du temps pour m'apprivoiser. Tu ne le savais pas? souffla-t-elle en le guidant vers la villa. Ce soir, je serai peut-être ta proie. C'est comme si je sentais tous les chasseurs de l'Afrique aux aguets...

– Je t'apprendrai comment fait le lion qui veille sur sa lionne et comment il renifle son ventre...

– Tu n'es qu'un vilain singe! protesta-t-elle sans conviction au moment où ils pénétraient à l'intérieur.

Elle s'approcha de la cheminée où le feu dévorait les dernières bûches.

– Comme il brûle fort, constata Harvey d'un ton faussement anodin que Dinah fit semblant de ne pas remarquer. Pour un peu, il vous donnerait l'envie de vous damner. Tu ne veux pas qu'on cède juste une minute à nos démons?

– Non parce que j'ai quelque chose d'urgent à faire et que j'ai bien failli oublier! Aurais-tu l'obligeance d'aller me chercher mon porte-documents? Il doit être sur le canapé.

– Ne me dis pas que tu vas te mettre à tes dossiers! Sinon, moi, je te renverse par terre, pieds et poings liés.

Dinah devait à tout prix résister. Si elle n'y prenait pas garde, Harvey McClure deviendrait le maître de son âme, de son corps et de sa vie tout entière.

– C'est pour te montrer un rapport, reprit-elle comme pour s'excuser. Il porte sur les mœurs intimes de ceux qui ont passé la cinquantaine. Nous avons tenu un séminaire, la semaine dernière, sur le sujet et il paraît que c'est un tort de les prendre pour des laissés-pour-compte.

– Est-ce que tu peux me dire en quoi cela nous concerne? coupa-t-il avec impatience. Tout le monde peut aimer quand ça lui chante! Ça s'appelle le désir! Et je vais tout de suite te montrer!

Dinah se sentit toute petite dans les bras si musclés. Harvey la couvrait, l'étouffait de baisers.

Brusquement, la nuit n'exista plus que pour eux, que pour leurs bouches et leurs caresses, que pour cette flamme unique qui s'insinuait au plus profond de leur être, se répandant partout, attisant leurs nerfs et leurs sens.

Il l'entraîna vers la chambre et elle le suivit tout naturellement, le cœur sans regrets ni remords, sûre qu'ils allaient se comporter comme tous les amoureux du monde.

Le clair de lune jetait sur la couverture des reflets fauves et changeants. Ils s'y allongèrent doucement, leur peau presque nue sous les draps de satin gris, leurs mains timides se cherchant dans le noir. Leurs parfums se mêlèrent, épices et tabac, tandis que montaient leurs soupirs dans le silence.

Ils achevèrent de se dévêtir à la hâte, pressés de se retrouver l'un contre l'autre, déjà presque unis.

– Viens..., murmura-t-elle. Retire vite cette che-mise!

– Je n'ai pas l'habitude que les femmes me donnent des ordres! grogna-t-il en feignant de se révolter.

– Moi c'est différent..., susurra-t-elle en collant ses lèvres contre son torse.

Bientôt, le corps splendide d'Harvey fut à sa merci et elle usa de tous les droits pour le faire vibrer et le réduire en cendres. Ses mains expertes s'arrêtèrent à son ventre, disparurent et revinrent, à chaque instant plus attentives, plus douces et plus insupportables.

Il avait rejeté les bras en arrière, comme écar-telé sous la terrible torture. Il ne pouvait plus retenir ses cris, son torse s'emballait, il haletait. Il se dégagea brusquement et recouvrit Dinah de tout son poids.

– Maintenant..., supplia-t-il.

Leur désir céda la place à la passion et long-temps ils se soumirent à ses exigences... Jusqu'au moment ultime où la jeune femme, prise soudain d'une indicible terreur, se dégagea de son étreinte.

– Non! S'il te plaît, non!

– Est-ce que tu te rends compte que tu viens de casser quelque chose de merveilleux? suffoqua-t-il. Mais pourquoi...?

– Peut-être... Je n'étais pas tout à fait prête...

– Je te prouverai le contraire.

Un peu plus tard, en ouvrant les yeux, Dinah sut qu'elle ne douterait jamais plus de son pou-voir de conviction. Harvey dormait près d'elle, la joue contre son épaule, et rien ne pouvait la rendre plus heureuse.

Les premiers frimas de l'automne avaient nappé la campagne, et l'air du matin devait être déjà vif.

Dinah sourit à cette pensée, recroquevillée bien au chaud sous les couvertures. Elle sortait à peine du sommeil et voulait prolonger cet instant où l'on reste les yeux entrouverts à s'étirer paresseusement.

Une odeur de pain brûlé réveilla ses narines et elle se redressa sur les oreillers pour voir Harvey qui pénétrait dans la chambre, un plateau à la main.

– Premier service! annonça-t-il joyeusement. Madame a bien dormi? Que dirait-elle de quelques toasts croustillants?

– Et roussis...

Elle sourit à ce serveur insolite qui venait de s'agenouiller près d'elle et exhibait un torse d'athlète sortant d'un jean élimé. Avec ses cheveux en bataille, sa barbe de la nuit et ses yeux cernés, il ne correspondait pas vraiment à l'image classique d'un garçon d'hôtel mais ce n'était pas là le moindre de ses charmes.

Dinah le contempla un moment avec un mélange de tendresse et d'admiration. Le souvenir des heures intimes passées en sa compagnie n'y était pas étranger.

Harvey déposa un baiser sur sa joue et lui tendit une assiette d'œufs brouillés servis sur canapés ainsi que tout un assortiment de confitures.

Saisissant la cuillère, elle la plongea dans la coupelle de marmelade d'orange. Un peu de gelée coula sur sa poitrine nue.

– Comme je suis maladroite...

– Tu fais tout pour aiguiser mon appétit, glissa-t-il en se passa la langue sur les lèvres.

Dinah sentit une boufflée de désir s'emparer d'elle et son intensité la surprit. Harvey lui avait fait vivre des instants précieux et c'était comme si leurs corps ne pouvaient plus se séparer l'un de l'autre. A cette évocation, elle eut un petit rire nerveux qu'elle tenta de réprimer en se plaquant les doigts sur la bouche.

– Les femmes ont parfois des réactions incongrues..., commenta Harvey d'une voix placide. Ça doit être hormonal!

– Tais-toi, affreux sexiste!

Il grommela et s'installa près d'elle sur le lit.

– C'est coquet, ici, reprit-il en parcourant la chambre des yeux. Ces meubles ont du chic! Comme tout ce qu'inventent les Allemands en ce moment.

– Les Scandinaves, tu veux dire.

Harvey lui adressa une grimace insolente et lui reprit d'autorité l'unique fourchette du couvert.

Lorsqu'ils terminèrent leur petit déjeuner, les draps étaient jonchés de miettes et les tasses de café en équilibre instable sur leurs genoux repliés.

– Peut-être devrions nous appeler nos chers petits trésors à la rescousse..., suggéra-t-elle. Un coup de bec de Noureïev et le museau de ton protégé viendront facilement à bout de ce carnage.

– Il y a mieux que la gourmandise pour parvenir à l'extase. Tu ne crois pas?

Il ramassa la couverture et la remonta fébrilement au-dessus de leurs têtes. Ils s'enlacèrent aussitôt et bientôt, disparurent du monde.

Lorsque, beaucoup plus tard Dinah s'éveilla, elle trouva Harvey assis tout près d'elle qui écrivait fiévreusement, les yeux rivés à sa feuille. Elle resta un moment à le regarder sans l'interrompre. La plume crachotait de temps à autre mais sa main courait toujours, rapide et ferme, noircissant la page de caractères nerveux, raturant, ponctuant et jetant les mots par saccades à l'encre noire.

– C'est quoi? demanda-t-elle timidement. Une sage? Une nouvelle? Je peux voir?

Le va-et-vient du stylo cessa immédiatement et Harvey tourna vers elle son visage sérieux aux sourcils froncés.

– Rien d'extraordinaire...

– Tu racontais notre histoire? Tu parles de moi?

– Ça se pourrait, oui. Mais ce n'est encore qu'une ébauche. Je préfère ne rien en dire tout de suite... Je te le montrerai quand ce sera relu, si tu veux bien. Là, je notais simplement ce qui me passait par la tête. Enfin, ce que tu m'inspires.

– Tu as l'intention de le publier? hasarda Dinah, soudain inquiète.

– Il faut voir... Mais encore une fois, c'est le premier jet. J'essayais de te mettre en scène dans ta ville. Si c'est bon, j'en ferai un chapitre et je le mettrai dans mon prochain roman. Sauf que je ne veux pas m'avancer... encore que j'y aie beaucoup réfléchi, ces derniers jours.

Il toussota et lui sourit:

– Si tu me laissais travailler, maintenant? Je suis sûr que mon panda doit mourir de faim.

– Compris..., soupira-t-elle en jetant ses jambes

nues hors du lit. Je laisse le maître à son œuvre. Mais n'oublie pas, je ne suis pas une héroïne de roman. Tu n'as pas le droit de toucher à ma vie, ajouta-t-elle plus gravement en s'esquivant. Encore un mot : je suis dans mon bain si tu as besoin de moi.

Dinah enfila sa tenue de jogging beige, appliqua sa crème de jour et son fard à paupières et se donna un rapide coup de brosse. Après un dernier regard à la glace, elle sortit de la salle d'eau et entra précautionneusement dans la chambre. Harvey écrivait toujours, une ride barrant son front.

— Tu t'es plongée dans la vanille ? demanda-t-il doucement sans quitter des yeux ses feuillets.

— Harvey, si tu levais le nez une minute ? J'aimerais... Je me pose des questions sur ton nouveau projet. C'est toujours si délicat de vanter les mérites de quelqu'un qui fait de la politique... Si j'apparais au détour de l'un de tes articles ou, pire encore, en chair et en os dans ton livre, les gens vont jaser et...

— Qu'est-ce que tu redoutes, au juste ? Que je te montre dans ton plus simple appareil ? Que j'étale tes charmes aux vieux lecteurs solitaires ?

— Ne te moque pas. Je suis très sérieuse !

— Trop !

Il se mit à tasser ses pages et plia le tout avec soin.

— Tu me permettrais d'y jeter un coup d'œil ?

— Certainement pas ! J'ai horreur qu'on lise mes brouillons. D'ailleurs, ils sont indéchiffrables. Et je n'ai jamais fait aucune exception. Même pour toi.

Dinah se sentit touchée au point sensible et elle esquissa un petit sourire chagrin.

– Je te demande simplement de me faire confiance, reprit-il d'une voix lasse.

– Pourquoi ne jettes-tu pas tout ça à la corbeille? Ma vie n'intéresse personne.

– Est-ce que tu vas continuer longtemps à mettre ton passé en travers de ta route? En as-tu honte à ce point? A force de t'enfermer dedans, tu finiras un jour par ne plus trouver d'issue.

– Je ne veux pas qu'on braque les projecteurs sur moi, un point c'est tout.

– Je me suis pourtant laissé dire que tu visais un siège au Sénat. Tu ne l'obtiendras pas sans un minimum de concessions! Les agents fédéraux feront une enquête à ton sujet et il faudra bien que tu te soumettes à cette loi, non?

– Je n'ai plus cette ambition-là. Disons que c'était un défi lancé en l'air.

– Alors pourqoi as-tu déjà entrepris ta campagne? Les gens du coin ne se sont pas faits prier pour me raconter tes meetings. Ils t'approuvent. Et moi aussi. Je suis sûr que tu en as l'étoffe.

– Tu leur as soudoyé des informations? Tu les as séduits en leur montrant ta carte de presse, c'est ça? Tu envisages de recueillir des signatures de soutien dans tes colonnes, hein? s'écria-t-elle, cinglante.

Harvey jouait avec son stylo d'un air gêné et son silence semblait un aveu. Dinah ne savait plus que penser. Quel but poursuivait-il? Lui avait-il caché quelque chose? La jeune femme se refusait à croire que cet amoureux si sincère et si impétueux n'était peut-être qu'un journaliste sans scrupules à la recherche d'un récit à rebondissements...

« Je déraille. Ses yeux sont trop francs. Non, il fait ça pour m'aider... Il faut que je lui dise la vérité, que je lui révèle le scandale qui a causé indirectement la mort de mon père. Il comprendra. Je ne peux compter sur personne d'autre... »

Dinah prit soudain conscience de la chape de plomb qui, depuis tant d'années, murait sa vie et l'empêchait d'être libre. Il fallait à tout prix qu'elle se débarrasse des vieilles hardes de son passé. C'était maintenant ou jamais.

– Je veux bien te faire confiance, murmura-t-elle d'une voix où perçait l'angoisse. Mais pour ça, j'ai besoin de toi...

– En es-tu vraiment persuadée? répliqua Harvey d'un ton dur. Si oui, alors je t'écoute.

– Je me méfiais parce que... Parce que tes textes sont, comment dire, parfois si légers... Ce sont des histoires qui amusent mais c'est un ton qui ne convient pas forcément à tous les sujets. Je pense à certains drames en particulier. Ceux qui peuvent broyer la vie des êtres, par exemple.

– Si tu cessais de tourner autour du pot, jeune fille?

– Promets-moi d'abord de ne pas étaler mes malheurs à la une.

– Si tu continues, tu vas finir par me faire regretter ma patience! maugréa-t-il. Tu préfères que je t'arrache les mots de la bouche? Nous avons partagé suffisamment de choses, et les plus importantes même, pour que je sois capable de ne pas colporter tes confidences!

– Tout est toujours si simple, à t'entendre..., dit-elle, un sourire amer au coin des lèvres.

– Et toi, ta fierté te perdra!

Dinah retenait ses larmes.

– C'est que... Tout s'est passé si vite entre nous. Cinq jours à peine! J'ai l'impression d'un grand tourbillon et je ne me reconnais plus.

– Où est le problème? Mais il y a des gens qui tombent fous amoureux en cinq minutes!

– Oui, pour l'attrait physique.

Dinah vit le visage désemparé de Harvey et elle regretta immédiatement la brusquerie de ses paroles.

– Certaines flèches atteignent directement le cœur, dit-il d'une voix sourde et changée.

Il se leva et, avec des gestes anormalement lents, enfila sa chemise et ses bottines, revissa le capuchon de son stylo, puis, sans un mot, il traversa la chambre.

Au moment où il en franchissait le seuil, il regarda par-dessus son épaule la jeune femme blême qui s'était adossée à la fenêtre.

– Si tu veux me joindre, tu as mon numéro, lâcha-t-il avec effort.

Les roues de la Cadillac crissèrent sur le gravier et le bruit du moteur s'éloigna rapidement, comme dans un mauvais rêve. Dinah abattit ses coudes sur la table de la cuisine et elle laissa couler ses larmes.

– Amour, toujours! Chagrin, reviens! siffla Noureïev.

6

– Au lieu de brasser du vent, vous feriez mieux de dépouiller la collection du *Sports Illustrateds*. Elle est dans votre bureau, sur l'étagère du haut. Si là dedans vous ne trouvez pas ce que vous cherchez, c'est à désespérer! Toutes les plus belles filles du monde y sont. Et en bikini, s'il vous plaît.

D'un geste énergique, Millie congédia son patron et se replongea dans la grande boîte aux microfilms.

Harvey revint à la charge:

– Vous avez la tête dure ou quoi? Ce n'est pas des photos qu'il me faut, mais des articles! Et pas n'importe lesquels. J'en veux un seul et sur une femme en particulier. Une qui a des jambes extra-ordinairement longues. L'ex-Miss Georgie, pour ne rien vous cacher.

– Vous ne pouviez pas le dire plus tôt? lâcha la secrétaire du bout des lèvres.

Elle revint quelques minutes plus tard en brandissant un magazine qu'elle ouvrit sur une double page:

– La voici. Essayez quand même de ne pas découper l'image!

Longtemps, Harvey fit glisser ses doigts sur le

papier glacé où une toute jeune fille à cheveux courts semblait figée sous l'objectif, la traditionnelle couronne de roses des lauréates posée sur la tête. Ses yeux brillaient et son sourire découvrait des dents éblouissantes. Dinah regardait dans le vague, comme si elle avait voulu fuir cette séance de pose.

D'une main tremblante, Harvey suivit délicatement les contours du cliché et repoussa la revue loin devant lui en soupirant.

«Je t'aime, se répéta-t-il tout bas. Si tu savais comme tu me manques... »

Millie, les mains croisées derrière le dos, observait son patron du coin de l'œil et se réjouissait en son for intérieur de le voir si troublé.

— Pas mal pour une débutante. Il paraît d'ailleurs qu'elle a vraiment très bien vieilli...

— En effet. Elle a un peu plus de chair sur les os et ce n'est pas dommage!

Il avait parlé d'un ton bourru pour bien montrer que sa remarque était tout à fait anodine, détachée, même.

— Allons, McClure, à quoi bon jouer au plus fin avec moi? Ce n'est pas aux vieux singes qu'on apprend à faire la grimace. Il suffit de voir votre tête! Vous en pincez pour elle. Et si vous voulez mon avis, vous avez bien raison. La petite a bien de l'allure. Normal qu'elle vous inspire. En tout cas, ce n'est pas moi qu'on contemplerait comme ça...

— Millie, si vous continuez, je vous flanque à la porte! Allez donc vous défouler sur un adepte du kung-fu et fichez-moi la paix! J'ai besoin d'être seul.

Elle prit un air furieux et s'apprêta à tourner les talons. Il la retint et la secoua aux épaules :

– Je vous taquine, mademoiselle Va-t-en-guerre, mais vous savez bien que je vous adore!

Lorsqu'elle fut partie, Harvey étendit ses jambes sur le bureau et s'absorba dans la lecture du papier que le journaliste de l'époque avait consacré à la nouvelle Miss Georgie. Les trois quarts de l'interview mettaient l'accent sur ses préoccupations politiques et sur sa volonté de bâtir un monde sans inégalités où la pauvreté n'existerait plus et où l'on vivrait sans haine ni violence.

Il sourit devant tant d'enthousiasme et d'idéalisme. Dinah n'avait pas varié d'un iota et croyait toujours dur comme fer que certaines valeurs étaient sacrées.

Harvey en arriva à la fin de l'entretien. On y faisait allusion à Bill Sheridan et la jeune femme insistait sur ses qualités de cœur et sur le rôle qu'il avait joué dans l'accomplissement de sa carrière de top modèle.

La signature apposée sous l'article lui évoqua brusquement un nom qui ne lui était pas inconnu mais sur lequel il avait du mal à mettre un visage. Il s'en souvenait vaguement comme d'un confrère du *Herald Examiner* ou d'un journal de ce genre.

Pour en avoir le cœur net, il appuya sur le bouton de l'interphone.

– Millie... Norins, Todd Norins, ça vous dit quelque chose? Vous auriez des tuyaux à son sujet?

– Je me demande parfois à quoi votre métier vous sert! Il n'y a pas un spectateur américain qui oserait poser la question! Je vous signale que c'est l'animateur vedette du grand show de vingt heures, le samedi soir, à la télévision. C'est un type qui ficelle les scandales et les histoires bien sales à la commande! N'empêche qu'avec ça, il bat les records d'audience.

– Je voulais simplement en avoir confirmation. Vous me l'appelez, vous serez gentille. Et annoncez-lui que c'est de la part de monsieur Ragot. Ça l'amusera...

La sonnerie courut sur la ligne et se mit à grelotter en atteignant New York. La dame qui décrocha ne voulut rien entendre et Harvey dut user de toute sa notoriété pour la convaincre de bien vouloir lui passer son honorable correspondant et ami de surcroît. L'assistante accepta de croire à ce mensonge, à la seule condition qu'elle reçoive un livre dédicacé de sa main...

– McClure? dit enfin une voix tonitruante. Comment vas-tu, fils? Tu es en panne d'imagination ou quoi? Tu me fais la cour pour que je te passe un sujet? C'est pour ça que tu te souviens de moi?

– Il paraît que tu as gardé ta spécialité et que tu gagnes encore plus d'argent en faisant du sensationnel. Il faudra un de ces jours que tu m'apprennes la recette!

– Arrête tes bobards, tu veux. Tu m'appelles pour quoi, au juste?

– Pour vérifier un détail. Est-ce que tu te souviens d'une fille qui s'appelait Dinah Sheridan et qui...

– Tu parles! J'ai fait son reportage! Je couvrais la manifestation pour l'*Amazing World*. En ce temps-là, je courais pour trois francs six sous. Sacrée pin-up en tout cas! Dommage qu'on ne la voie plus en petite tenue. Son père aurait mieux fait de ne pas mourir. Mais dis-moi, c'est une vieille histoire, ça. Est-ce que par hasard tu tiendrais un scoop? Tu sais ce qu'elle est devenue?

– Disons qu'elle s'est rangée. Elle est maire de Mount Pleasant, dans l'Alabama. J'ai eu l'occasion de parler d'elle dans ma rubrique de vie quotidienne. Mais l'accident d'avion du cher Bill me turlupine. Et je pensais que toi qui roules ta bosse un peu partout, tu aurais peut-être des éclaircissements là-dessus...

Il y eut un silence et, à l'autre bout du fil, Norins se racla la gorge:

– Bah... J'avais émis une ou deux suppositions, à l'époque. C'est vrai que le vieil homme n'était pas très au net avec sa conscience, mais tu sais comment sont les gens, toujours à parler à tort et à travers. C'était bien pratique pour remplir mes colonnes. J'ai eu bien plus de fil à retordre avec sa fille. C'est une intellectuelle de première et elle n'a pas vraiment aimé mes bavardages. Que veux-tu, on ne peut pas plaire à tout le monde.

Harvey se sentit troublé et n'insista pas. Après quelques banalités d'usage, il salua son confrère et raccrocha.

La joue contre son poing, il fit plusieurs fois pivoter son fauteuil et jeta un regard distrait sur les livres qui encombraient sa table. Il gardait toujours sous la main ses auteurs favoris et laissait Hemingway sur le dessus de la pile pour le feuilleter chaque fois qu'il était fatigué et qu'il désespérait d'écrire.

Il attrapa le volume à la reliure usée, l'ouvrit au hasard, en parcourut quelques lignes sans conviction, et le reposa aussitôt. Aujourd'hui, même le génial romancier ne pouvait lui être d'aucun secours. Dans le cerveau d'Harvey, il n'y avait qu'une seule pensée: revoir Dinah et l'aider par tous les moyens à traquer les fantômes de son passé.

Dinah sortait de sa classe lorsqu'elle aperçut l'une de ses collègues qui venait à sa rencontre.

– McClure a encore parlé de nous! cria Myra Faye, tout essouflé en brandissant l'édition de l'après-midi. Depuis quinze jours qu'il n'avait pas donné signe de vie, je m'étais résignée. Mais, Dieu soit loué, il ne nous oublie pas! ajouta-t-elle, au comble de l'excitation.

Dinah feuilleta le quotidien et tomba sur un gros titre étalé sur trois colonnes: *Les Pandas ou comment vivre heureux*. Elle parcourut rapidement l'article et constata avec une certaine amertume qu'à aucun moment il n'était fait mention de son nom.

Pendant qu'elle lisait, les autres avaient fait cercle autour d'elle et, sous l'effet de la bonne surprise, se répandaient en louanges sur le journaliste qui se présentait comme leur ami et prenait fait et cause pour leur ville.

– Ça donne vraiment du baume au cœur! continua Myra, n'est-ce pas, Dinah?

– Oui, c'est merveilleux. Je crois que je vais l'accrocher dans mon bureau, à la mairie.

– Tu devrais l'appeler pour le remercier, suggéra le professeur de chant. Ce serait la moindre des choses après un tel hommage!

– Tu pourrais même profiter de l'occasion pour lui rendre visite. Ça tombe bien, d'ailleurs, puisque tu vas lundi à la conférence des élus municipaux. Tu seras à deux pas de son journal! remarqua la jeune fille qui enseignait les arts ménagers. Tu lui apporteras un gâteau de la part de ma classe.

– Et moi, renchérit le professeur de dessin, je vais demander à mes gamins de lui envoyer chacun une carte postale.

Restée seule, Dinah se mit à faire les cent pas dans la cour du collège. La réaction avait été unanime mais elle n'arrivait pas à la partager entièrement. Il lui avait été impossible, ces derniers temps, de se débarrasser de l'image obsédante de Harvey, comme si son absence venait lui révéler cruellement conbien il lui manquait, et chaque jour davantage.

Sa façon de parler de Mount Pleasant en omettant volontairement d'en citer le personnage principal était évidemment une tactique. La jeune femme n'était pas dupe de sa manœuvre.

« Puisqu'il veut que tout vienne de moi, pensa-t-elle, il ne me reste plus qu'à relever le défi. »

La salle de rédaction du *Birmingham Herald Examiner* retentissait du crépitement des téléscripteurs. Une demi-douzaine de reporters, la cigarette aux lèvres, se penchait sur les dépêches et frappait en cadence les touches des machines.

Dinah venait d'entrer sur la pointe des pieds dans la grande pièce surchauffée. Aussitôt, les journalistes abandonnèrent leur copie et suivirent des yeux la ravissante jeune femme qui se frayait un passage entre les bureaux en désordre.

– Vous cherchez quelqu'un? s'enquit une voix féminine derrière elle.

– Votre chroniqueur.

– McClure est quand même un sacré veinard! intervint l'un des pigistes du fond de la salle.

Sa remarque se perdit dans un éclat de rire général.

– Ne faites pas attention à eux, mademoiselle Sheridan! reprit Millie. On se défoule comme on peut! J'ai déjà eu le plaisir de vous entendre au bout du fil et je vous ai tout de suite identifiée. Si vous voulez bien vous donner la peine de me suivre... Vous arriverez peut-être à sortir Harvey de son mutisme. Ces jours-ci, il n'est pas à prendre avec des pincettes! Et je vous garantis que ce n'est pas drôle d'être sa secrétaire! Tenez, c'est la porte juste en face. En espérant qu'il accepte de vous recevoir.

Dinah la suivit et pénétra dans un bureau vide.

– Apparemment, il n'est pas revenu de déjeuner. Entrez et mettez-vous à votre aise en attendant.

– C'est aimable à vous, madame.

– Appelez-moi Millie. Je préfère. Excusez-moi, je vous laisse. On m'appelle.

La jeune femme laissa tomber son sac à terre et inspecta du regard la mansarde où il travaillait. Elle ressemblait plutôt à un grenier en désordre. Dinah débarrassa d'une impressionnante pile de journaux l'unique chaise réservée aux visiteurs et s'assit, les mains un peu crispées sur ses genoux. Près de la fenêtre, un énorme ficus arborait ses innombrables feuilles et Dinah se demanda par quel miracle il réussisait à s'épanouir dans une atmosphère aussi confinée.

Les murs étaient tapissés du haut en bas par une collection hétéroclite de calendriers, de casquettes, d'affiches publicitaires, de cannes de golf en bronze, de battes de base-ball, de raquettes de tennis et de diplômes en tous genre, depuis les confréries gastronomiques jusqu'aux associations de musique folk, en passant par l'inévitable carte d'honneur des scouts...

Au milieu de cet étalage chamarré et poussiéreux, un petit cadre retint l'attention de Dinah. C'était une photo de famille où Harvey apparaissait au centre d'un petit groupe souriant. Elle vit une femme au visage avenant et toute frêle dans un manteau de fourrure vaste comme une houppelande. Sa mère probablement et qui portait pour l'occasion l'un des splendides cadeaux que son fils lui avait offerts avec ses premières paies... Elle donnait le bras à un homme trapu et rougeaud engoncé dans un de ces blousons en gros drap comme en ont souvent les camionneurs. Enfin, un peu en retrait, elle distingua une petite fille aux traits espiègles et dont les yeux mystérieux évoquaient à s'y méprendre ceux de son frère...

— Elle est belle, non? Elle me séduit toujours autant! dit une voix sonore. Mais je te trouve bien curieuse!

Harvey se tenait sur le seuil, une main dans la poche décousue d'une veste en tweed tout avachie.

Dinah se sentit prise en faute. Harvey n'appréciait pas son intrusion, c'était visible, et elle resta un moment sans savoir quelle excuse il lui faudrait trouver pour l'amadouer.

– En quoi puis-je t'être utile? continua-t-il d'un ton froid où perçait l'agacement.

Elle tenta d'immobiliser ses mains qui tremblaient et leva résolument les yeux vers lui.

– Je suis venue te remercier au nom de tous. Ils ont été très touchés par... par ton geste.

– Tant mieux.

– A part ça, tu vas bien?

– Je me porte comme un charme, merci.

Comment pouvait-il lui répondre si sèchement? Désemparée, la jeune femme fixa son regard sur le sac de golf perché sur le bureau. Des initiales en or brillaient sur le vieux cuir. Le silence se prolongeait. Brusquement, elle n'y tint plus et se résigna à affronter son agressivité:

– En fait, je passe en coup de vent. L'assemblée régionale des maires a lieu en ce moment. Je voulais prendre de tes nouvelles, voilà tout. Mais j'ai l'impression que je te dérange. Je ferais mieux de me sauver...

– Dis plutôt que tu avais envie de te faire inviter à dîner.

Elle pâlit sous l'affront et le dévisagea sans comprendre.

– C'est bon, lâcha-t-il. De toute façon, je n'avais rien de prévu. Je te prends où?

– Au *Sheraton*. La réunion se termine à sept heures. Maintenant, il faut que je retourne au lit... Non! Euh... je voulais dire à la conférence.

– Beau lapsus, mademoiselle. J'en parlerai au Dr Freud. Il aura certainement une explication.

– Pas du tout, voyons. J'ai dit ça sans y penser.

– Justement... Allez, je te raccompagne jusqu'à l'ascenseur. Il n'y a pas de meilleur endroit pour descendre au fond de sa libido!

Dinah écarquilla les yeux, voulut parler et se tut finalement il n'était pas nécessaire d'aggraver son cas...

La maison tout entière avait été briquée et luisait comme un sou neuf.

Dinah suivait Harvey et ils faisaient le tour du propriétaire. Elle constata avec plaisir que son intérieur de célibataire n'avait rien d'une tanière, et qu'il était même agencé avec un certain goût grâce à un mélange de meubles régionaux et d'objets anciens sortis du bric-à-brac des brocanteurs.

— J'avais fait venir une décoratrice mais elle n'est pas restée une demi-heure! Je lui ai dit d'aller voir ailleurs. Tu imagines, elle voulait me clouer sur les murs ces espèces de grands cadres dorés avec des gros bébés joufflus affublés d'une paire d'ailes.

— Ces délicieuses créatures s'appellent des chérubins, cher monsieur...

— En tous les cas, ils ont des têtes idiotes.

Ils éclatèrent de rire et pénétrèrent dans une pièce confortable où Harvey devait vivre souvent. Avec son bureau en chêne massif, sa cheminée en pierre où se consummaient de belles bûches et son canapé d'un bleu foncé, l'endroit était à la fois sobre et intime.

— On se sent bien, ici, remarqua Dinah avec conviction.

— Et encore tu n'es pas montée à l'étage!

Il lui tendit un verre de vin qu'elle accepta avec empressement.

— A nous! dit-il. J'ai sorti ce nuits saint-georges de ma cave spécialement pour toi.

Elle sourit et but à son tour, brusquement gênée, d'être seule avec lui dans cette demeure silencieuse et isolée. Elle se demandait si elle devait s'asseoir quand le carillon de la sonnette retentit opportunément.

– C'est le traiteur qui livre. Profites-en pour admirer mon service en porcelaine chinoise et ma nappe amidonnée. Ce n'est pas tous les jours que je mets les petits plats dans les grands.

La table était superbe, en effet. Dinah nota pourtant que son hôte n'avait pas cherché pour autant à créer cette atmosphère romantique qui s'accorde bien avec les tête à tête. Les bougies du chandelier à cinq branches donnaient une lumière franche et vive.

Lorsque, plus tard dans la soirée, elles se furent éteintes, il suggéra à Dinah de lui servir le café dans ce qu'il appela son « boudoir ».

– On sera mieux. La cheminée tire bien et par le froid qu'il fait dehors... Si tu veux, tu peux t'allonger sur le canapé.

Elle acquiesça mais ne lui obéit pas tout à fait. Il était plus prudent de s'asseoir en s'adossant aux coussins pour prévenir tout geste entreprenant.

– On a à parler, je crois, dit Harvey d'une voix calme. Pour être sincère, ajouta-t-il après une courte pause, je n'ai pas cru un instant à tes arguments de tout à l'heure. L'histoire des remerciements et de ton déplacement professionnel était un faux prétexte. En fait, tu t'es décidée à venir parce que tu t'ennuyais de moi.

– Puisque tu le dis..., soupira-t-elle. Disons que tu m'as manqué pour bien des raisons. Et ça, je ne me l'explique pas très nettement.

— Seigneur! Ne recommence pas avec tes raisonnements alambiqués. Je les connais par cœur! Je sens d'ici que tu vas me sortir le grand jeu de l'incompatibilité d'humeur entre nous, de mon acharnement à vouloir écrire sur toi et, pour finir, de la terrible distance qui nous sépare.

— Je dois avouer que je n'avais pas pensé à ce dernier obstacle...

— Tu vois bien que j'apporte de l'eau à ton moulin, s'écria-t-il, furieux. La vérité, reprit-il, c'est que tu n'arriveras jamais à me faire confiance! C'est pourtant la seule façon de faire marcher un couple.

— Accorde-moi encore un peu de temps... Si, bien sûr tu es capable de patience. Mais j'en doute. Tu es l'homme le plus entêté que j'ai jamais rencontré!

— Il y a simplement des choses auxquelles je tiens plus que tout. Et tu ne m'empêcheras pas de les obtenir. Madame se prend pour une princesse et voudrait qu'on coure lui décrocher la lune! Eh bien, je ne marche pas! Dinah, tu n'es plus dans la peau de Miss Georgie. Il serait temps que tu comprennes que tu ne peux plus te comporter comme une fille qui se fait désirer et qui ne donne rien en échange.

— C'est toi qui oses me dire ça? Tu ne te souviens plus de l'autre nuit, peut-être?

— Si. Mais je n'ai pas oublié non plus tes réflexions. Est-ce que je ne suis toujours à tes yeux qu'un amoureux de passage? Est-ce que tu vas encore longtemps fouler mes sentiments aux pieds?

Dinah porta les mains à son visage et se précipita dans ses bras.

– Harvey, je t'en supplie, ne crois pas cela. Je te jure sur ce que j'ai de plus cher au monde que je n'ai pas voulu dire ça! Je sais trop que tu me fais vivre des moments uniques, et que c'est certainement cela aussi, l'amour...

Il la serra désespérement, comme si soudain il avait peur de la voir s'enfuir et de la perdre. Lorsqu'il la vit sourire, il pressa ses lèvres contre les siennes, mordant sa bouche comme un fruit délicat et parfumé et repoussant sans cesse son désir dévorant.

Ils succombèrent bientôt, roulant sur le tapis épais au milieu de leurs vêtements épars, leurs corps en sueur sous les folles griffures, déjà unis et se cherchant encore, timides et audacieux tour à tour, livrés à l'empire de leur passion, accrochés l'un à l'autre comme si un flot magnifique les submergeait, rivés, ivres, étourdis par ce mouvement qui les portait ensemble dans le silence de la nuit...

Ils étaient étendus sur la laine douce.

– Je t'aime..., murmura-t-il. Et tu ne devineras jamais ce que tu m'as fait faire... J'ai acheté tous les livres de ce philosophe à binocles dont tu m'avais parlé. Tu sais, quel est son nom déjà, Partre?

– Sartre précisa-t-elle en souriant. C'est drôle parce que moi, j'ai dévalisé tous les rayons de musique folk!

7

– MAIS qu'est-ce que tu attends? Vas-y, retourne-le! Et arrose avec le beurre. Que la peau soit bien craquante! On dirait ma parole que tu n'as jamais fait cuire un poulet.

Et enlève-moi toutes ces herbes!

– C'était juste un peu de paprika et d'origan, gémit Dinah.

Harvey lui jeta un regard de mépris et s'empara de la pique.

– Laisse-moi faire, ça vaudra mieux. Ce volatile mérite autre chose qu'un assaisonnement à l'italienne, dit-il en secouant la marmite où grésillait déjà une belle tranche de lard. On chauffe d'abord à feu vif et ensuite, on laisse mijoter doucement pour qu'il macère dans son jus.

– Il ne te manque que la toque...

– Je tiens la recette de mon grand-père, le vieil Elmo. Toute sa vie, il a mangé ça et quand il est mort, il n'était pas loin d'avoir cent ans.

Harvey s'essuya les mains au torchon qui pendait à sa ceinture et sourit à Dinah:

– Je vais t'apprendre tous mes trucs, petit marmiton. A condition que tu ne sois plus fâchée...

– Si tu cessais d'abord de me traiter comme une enfant?

– Promis! assura-t-il tout en lui caressant la joue.

Dehors, le vent d'octobre faisait grincer les persiennes et, dans la nuit noire, la pluie cinglait les carreaux. Dans la cuisine odorante et chaude, la jeune femme enroulée dans sa robe de chambre douillette se sentait comme dans un cocon.

Harvey lui avait apporté en cadeau ce week-end, en plus d'une foule de paquets qui provenaient tous du même endroit, la boutique de lingerie la plus chic de Birmingham. Émerveillée, elle avait découvert dans les différentes boîtes des sous-vêtements vaporeux, un bustier en soie, un body en lamé, des collants en voile et une nuisette en satin gris imprimé de motifs chinois. C'était, avait dit Harvey, pour célébrer leur premier anniversaire. Ils se connaissaient depuis un mois et il avait voulu célébrer l'événement à sa manière. Dinah pensa avec émotion que tout chez lui virait à l'excès, même sa générosité.

Elle regarda dans sa direction et le vit occupé à son poulet tandis que Noureiev, prenant son épaule pour perchoir, faisait le beau et l'important. L'oiseau, pour une fois silencieux, toisait superbement le panda son rival qui, indifférent, grignotait dans son écuelle ses croquettes pour chat.

– Au fait, cria Harvey en se retournant, j'ai oublié de te dire, j'ai trouvé un nom pour ma bestiole! Je vais l'appeler Lewis.

– Comme Sinclair Lewis? Quelle riche idée, c'est l'un de mes écrivains préférés!

– Pas du tout, non. Comme les jeans.

Dinah éclata de rire et, enfilant sa moufle, elle retira du four une plaque de gâteaux secs truffés de raisins. Elle les fit précautionneusement glisser sur un plateau où reposaient déjà des palets au beurre.

– La cuisson me semble parfaite. Mais dis-moi, ne crois-tu pas que toutes ces sucreries vont te faire grossir? Un de ces jours, ajouta-t-elle, malicieuse, tu verras dans la glace un gros ventre qui sortira de ta ceinture et tu n'auras plus qu'à devenir notaire.

– Très drôle..., dit-il en faisant mine d'être contrarié. Je n'y peux rien, moi. C'est génétique. La gourmandise fait partie des grands plaisirs de la vie, non? Ça et autre chose, d'ailleurs...

Brusquement, il la saisit par la taille et la souleva de terre.

– Arrête! lâche-moi! cria-t-elle en tambourinant sur sa poitrine. Tu m'écoutes?

– Trop tard, tu ne peux plus m'échapper. Allez, gigote! Essaie, pour voir. Je vais te raconter comment le loup s'y est pris avec le chaperon rouge!

Aussitôt, il grogna et découvrit les dents, la mordant sur la nuque et aux épaules, roulant des yeux furieux et tirant sur les boutons de la robe de chambre.

Dinah criait et se débattait toujours, excitée par ce jeu où ni l'un ni l'autre ne voulait lâcher prise. Il la laissa se démener en tout sens et, lorsqu'il en eut assez de rire, il lui rendit sa liberté. Il regarda la femme qu'il aimait et qu'il avait métamorphosée en sorcière. Les cheveux défaits et dans sa tenue froissée, elle s'efforçait de reprendre son souffle.

Depuis les deux dernières semaines, ils avaient passé chaque jour ensemble, ils avaient partagé des moments de joie, d'hilarité et de bonheur et rien n'était venu troubler cette harmonie. Et quand, par hasard, il devait se rendre à Birmingham pour les besoins du journal, il la capturait pendant des heures au bout du fil et lui parlait de tout et de n'importe quoi, simplement pour entendre sa voix le conjurer de revenir bientôt.

Un bruit inhabituel, comme celui d'une minuscule déflagration, interrompit le fil de ses pensées. Il courut jusqu'à la cuisinière où le poulet semblait se tordre de douleur dans la marmite.

– Pour un peu, on le laissait brûler! s'écria-t-il. Il faut tout faire, ici! Désormais, c'est moi qui serai aux fourneaux! Comme ça, on ne risque pas d'être déçus...

– Trop aimable! Merci pour moi! Mais je te préviens, je te tiendrai responsable de mon taux de cholestérol. Un cordon-bleu qui utilise les mottes de beurre au kilo est déjà suspect de prime abord.

– Évidemment, toi, tu ne sais pas ce qui est bon... Et puis, les femmes bien en chair, ce n'est pas si désagréable...

– Mufle! lâcha-t-elle en riant. Je me demande parfois comment j'ai pu avoir envie de vivre avec un homme de ton espèce!

– Cet homme a faim, justement. Et il refuse de s'embarquer dans des discussions sérieuses avant d'avoir dîné.

Ils passèrent au salon avec l'intention de terminer tranquillement la soirée.

Harvey alluma la télévision pour lui tout seul et

choisit le programme des jeux. Dinah alla chercher un livre et se lova contre lui sur le canapé.

— Tu te sens bien? murmura-t-elle en lui passant la main dans les cheveux.

— Merveilleusement... Ça ne se voit pas?

Il l'entoura de ses bras et l'embrassa tendrement.

— Qu'est-ce que tu lis? reprit-il en jetant un coup d'œil intrigué sur le titre. Oh, je vois! Ça m'a tout l'air d'être un de ces ouvrages d'intellectuel aussi prétentieux qu'indigeste.

— Eh bien tu te trompes, mon cher... C'est un roman de science-fiction qui parle du complexe de Zandrake. Tu sais, de la difficulté pour un humanoïde de devenir un être humain...

— Stop! Je décroche! Raconte plutôt cette histoire à tes professeurs. Moi, je préfère les extra-terrestres dans les bandes dessinées. Surtout lorsqu'ils habitent sur Vénus.

— C'est bien aussi et je ne conteste pas tes goûts.

— N'empêche que tu ne t'abaisserais pas à regarder certaines émissions ni même les films qui me passionnent.

— Ça dépend lesquels. Si tu veux parler des séries où il n'y a pas une seule séquence sans fusillade ni rangée de cadavres, alors non merci.

— Il est vrai que madame n'aime que les grands maîtres et leurs chefs-d'œuvre en noir et blanc. Mais les classiques, ça finit par sentir la poussière.

Dinah soupira et lui tourna résolument le dos, bien décidée à reprendre le cours de son chapitre. Soudain, une voix forte sortie du téléviseur lui fit tomber le livre des mains :

« Ici Todd Norins. Je vous retrouve tout à

l'heure après les informations pour vous conter l'histoire tragique d'une femme originaire du Montana. Dans une interview exclusive, elle vous dira comment elle a vu disparaître ses douze enfants, son chat et sa Harley Davidson. Elle accuse d'étranges visiteurs d'en être responsables. Ne manquez pas son témoignage saisissant! »

Dinah, en proie à une intense émotion, avait serré de toutes ses forces le bras de Harvey. Sur l'écran était apparu un visage qui ne lui était que trop familier. Elle voyait avec terreur ces yeux noisette et froids semblables à ceux d'un faucon et qu'elle sentait fixés sur elle, comme si l'animateur avait franchi la barrière pour se retrouver face à face avec elle, dans le salon. Norins avait vieilli, depuis leur dernière rencontre. Il perdait ses cheveux et ses joues étaient devenues plus flasques.

La jeune femme frissonna.

– Si tu changeais de chaîne? dit-elle d'une voix suppliante. Je déteste cet homme! Il fait honte à votre profession.

– Mais qu'est-ce qui te prend? Calme-toi, voyons. Je voudrais bien voir comment il ficelle son émission. Il doit y avoir une raison à sa cote de popularité.

– Oui, il exploite à fond le filon des mensonges et des rumeurs. C'est répugnant!

– On dirait en tout cas qu'il te porte sur les nerfs. Est-ce que par hasard il t'aurait fait quelque chose? reprit Harvey qui s'attendait déjà à la réponse.

– Laissons ça, c'est du passé...

Elle se leva.

– Je suis lasse. Je vais me coucher. Fais comme tu veux...

Harvey la considéra avec inquiétude. Toute joie semblait l'avoir désertée et un pli inhabituel marquait son front. Elle s'éloigna, les poings serrés, et franchit le seuil de la chambre comme un automate.

Rapidement, il ferma les volets, enferma Lewis dans la cuisine avec Noureïev et éteignit les lumières. Il se déshabilla en silence et se glissa dans le lit. Désespérément, il serra Dinah contre lui. Elle semblait dormir mais son corps était anormalement contracté, comme si elle cherchait à se protéger d'un invisible agresseur.

Harvey la pressa tendrement aux hanches et se mit à caresser tout son corps en des gestes très doux, très lents, comme s'il avait peur de l'effrayer.

— Viens plus près, murmura-t-il. Je veux te donner toute ma chaleur, mon amour. Je suis là et je ne permettrai à personne de te faire du mal.

Dinah remua faiblement et se nicha contre son cou. Cet élan d'abandon fit soudain jaillir ses larmes. Elle ne pouvait plus se contrôler, elle n'avait plus cette force. Elle éclata en sanglots et se blottit plus fort contre lui pour qu'il lui fasse un rempart de ses épaules.

— Parle-moi, ma chérie, supplia-t-il. J'ai tellement de peine de te sentir comme ça. Aide-moi à comprendre.

— Je... La semaine prochaine, mon père aurait eu soixante ans... Quand l'avion s'est écrasé, ils n'ont même pas pu identifier son corps. Il a bien fallu que j'y aille et... Oh non, c'était affreux! Je n'oublierai jamais. La morgue, c'est horrible et quand ils ont soulevé le drap, je...

Dinah s'arrêta, enfouit son visage dans ses mains et ses larmes redoublèrent. La blessure se rouvrait avec violence et elle était incapable de l'apaiser. Les souvenirs douloureux sortaient de la plaie béante comme une horde mauvaise d'images insupportables.

– Essaie de faire sortir de toi tous ces souvenirs qui t'oppressent, insista Harvey. C'est la seule manière de te sauver! Qu'est-ce que tu veux encore cacher, dis-moi?

– Excuse-moi. J'ai honte que tu me voies comme ça, que tu me prennes en pitié.

– Ne dis pas de bêtises. Je suis sûr qu'il y a d'autres raisons à ce chagrin. Je veux savoir qui te persécute. Qui? Je ne suis pas curieux, ne crois pas ça. Mais si tu arrives à te libérer de cette angoisse, tu pourras enfin revivre. Et c'est vraiment la seule chose qui compte à mes yeux. La seule, après notre amour.

– Comme je t'aime..., chuchota-t-elle en s'agrippant à lui.

– Tu trembles encore, petite fille. Tu n'as pas envie qu'on se débarrasse de ce Todd Norins qui te fait si peur?

– Non! Il est si tard et je suis si fatiguée...

Longtemps après que Dinah se fut endormie dans ses bras, Harvey, les yeux grands ouverts dans le noir, se demandait encore comment il devrait agir pour la rendre moins vulnérable.

8

L'ORCHESTRE de chambre jouait magistralement le *Concerto Grosso* de Haendel et, à en juger par le recueillement du public, sa réputation n'était pas surfaite.

Tandis que les violons attaquaient de plus belle, Dinah tapota impatiemment le dossier vide de la chaise installée à côté de la sienne. Évidemment, Harvey avait trouvé le moyen de prendre la poudre d'escampette aux premières mesures de l'ouverture, sous prétexte d'aller chercher un hot dog.

C'était une erreur d'avoir voulu le traîner au concert et la jeune femme le regrettait sincèrement. Malgré la qualité de l'interprétation, cette soirée était un fiasco.

« Si au moins il se décidait à revenir... pensat-elle en tirant nerveusement sur ses gants. »

Toute son enfance avait été bercée au rythme de ces musiques-là et elle se mit à évoquer avec nostalgie les brillantes réceptions que donnaient ses parents dans leur grande propriété. Parmi les convives triés sur le volet, elle regardait, de ses yeux émerveillés de petite fille, tous ces beaux messieurs qui s'inclinaient avec respect devant leur cavalière, des dames en robe longue, la gorge couverte de pierreries et qui toussotaient légèrement quand les musiciens se mettaient en place et pointaient leur archet.

Le temps avait passé mais Dinah éprouvait toujours la même émotion quand le chef levait sa baguette et que les murmures de la salle s'éteignaient comme par enchantement.

Elle croisa les bras, les décroisa aussitôt et finit par jeter un coup d'œil agacé par-dessus son épaule; elle aperçut le fugitif qui revenait et qui, sans façon, enjambait les sièges pour arriver plus vite à sa place.

— Tu en as mis un temps! lâcha-t-elle. Tu ne vas pas me faire croire que tu t'es perdu dans le magasin!

Harvey tira machinalement sur sa moustache et appuya avec désinvolture sa botte de rocker sur son genou. Dinah qui, visiblement attendait des explications, le foudroya du regard.

— Figure-toi que je suis descendu en bas de la rue pour trouver un sandwich digne de ce nom! Et celui que j'ai avalé était un vrai de vrai. Avec du fromage, des piments et tout! Heureusement, parce que sans quoi, je serais mort d'inanition. Il me fallait bien ça pour affronter le spectacle.

Les musiciens se levèrent, saluèrent et se préparèrent pour le morceau suivant.

— Ils vont jouer la *Sérénade pour cordes* d'Elgar, précisa Dinah.

— Qui est cet Edgar?

— Je t'ai dit Elgar! C'est un compositeur anglais de la fin du XIXe et du début XXe.

— Pourquoi se débrouillent-ils toujours pour

mettre au programme des types qui sont morts et enterrés? Il doit bien y en avoir qui sont encore vivants quand même!

– Ne parle pas si fort, tu veux? C'est désagréable quand les gens se retournent sur vous, souffla-t-elle, excédée.

Harvey poussa un profond soupir et se cala tant bien que mal sur son siège. Il leva les yeux au ciel, fourragea dans ses cheveux et posa finalement son menton dans sa paume, choisissant délibérément d'ignorer les valeureux instrumentistes qui semblaient redoubler d'ardeur et s'agitaient sur l'estrade au milieu des projecteurs.

Au bout d'un moment, la tentation fut trop forte et il aventura sa main vers sa voisine attentive. Dinah sursauta lorsqu'il frôla ses épaules. Elle lui jeta un coup d'œil sévère pour tempérer ses audaces et constata avec étonnement qu'il s'était à nouveau absorbé dans la contemplation de l'ensemble.

Un sourire flottait sur ses lèvres et donnait l'impression qu'il goûtait la vivacité du morceau. Mais bientôt, il se remit à se tortiller sur sa chaise comme un poisson à l'hameçon:

– On étouffe ici! C'est l'enfer, insista-t-il en se penchant exagérément vers Dinah. Si on bougeait?

Elle haussa les épaules et tourna délibérément les yeux vers la scène. Elle avait croisé les bras, bien décidée à ne plus se laisser distraire par l'énergumène qui rythmait la mélodie sur son genou et commençait à chantonner.

Soudain, elle eut un haut-le-corps involontaire en découvrant la main hardie qui s'immisçait dans son décolleté.

– Tu es fou ou quoi?

– J'ai souvent pensé qu'il y avait mille manières de se laisser porter par la musique.

– Arrête ou je m'en vais immédiatement.

– Tu ne voudrais tout de même pas déranger les musiciens? Et puis, tu imagines, tous ces gens qui se mettraient à jaser...

Dinah se retint de le glifler. Plus que tout, elle redoutait un esclandre en public.

– Tu vas finir par attirer l'attention sur nous! maugréa-t-elle. Jamais plus je ne te permettrai de m'accompagner. Voilà ce que tu as gagné! Tu te crois dans un cinéma de plein air?

– Moi, dit-il d'un air dégagé, je connais un autre moyen d'adoucir les mœurs...

Ses doigts frôlèrent la cheville de la jeune femme et s'aventurèrent plus loin encore sous le fourreau de soie avec une tranquille assurance. Dinah laissa échapper un gémissement qui fit se retourner une dame à voilette dont l'air indigné ne laissait aucun doute sur ses sentiments...

Harvey poursuivait son manège et menaçait de la jeter dans un complet égarement. Dinah acceptait maintenant sans plus de honte ni de pudeur le trouble délicieux qui s'insinuait en elle. Là-bas, les musiciens jouaient toujours et cela n'avait plus aucune importance. Elle eut soudain envie d'être ailleurs, dans les bras de cet homme qui pouvait tout oser et se conduisait comme un parfait libertin sans un regard pour les bras gens qui composaient le parterre.

L'orchestre venait de se lancer dans les *Quatre Saisons* et les violons s'emballaient pour saluer l'arrivée du *Printemps*. Les notes montaient en crescendo et Dinah les suivait. Elle perdait toute mesure.

– Si le vieil Antonio nous voyait..., chuchota Harvey. Sûr qu'il se retournerait dans sa tombe!

Dinah ne voulait plus l'entendre. Il fallait qu'elle se calme et qu'elle redevienne la mélomane qu'elle avait toujours été et qui s'irritait du moindre bruit autour d'elle.

– On est en train de tout gâcher. Il faut du silence pour cette œuvre...

– Mais c'est eux qui maltraitent Vivaldi! dit-il presque à haute voix. Tu as vu comme ils sont raides dans leurs smoks.

– Pour la dernière fois, taisez-vous! intervint un tout jeune homme en brandissant son programme.

A cet instant, un tonnerre d'applaudissements crépita dans la salle et une petite fille s'avança dans les rangs, un bouquet à la main.

– Ouf! Enfin! soupira Harvey en dépliant ses grandes jambes. Sortons. Misère, quelle chaleur!

– A qui le dis-tu...? confessa Dinah.

Elle lui passa très naturellement le bras autour de la taille et ils suivirent la foule qui s'écoulait lentement vers le hall de la salle des fêtes.

– Et si maintenant on allait écouter la *Petite Musique de Nuit*? suggéra-t-il en s'effaçant galamment devant elle.

Ils faisaient leurs achats au centre commercial. Dinah en avait par-dessus la tête de voir son chevalier servant la suivre en gémissant comme un petit chien. Ils avaient déjà arpenté diverses boutiques et Harvey refusait de se sentir concerné.

C'était pourtant à cause de lui qu'ils avaient entrepris l'expédition sous prétexte de lui trouver des sous-vêtements plus convenables que ceux qu'il avait toujours portés.

Les bras encombrés de paquets, la jeune femme se retourna et le vit qui marchait à la traîne, les mains dans les poches et le visage hargneux.

– Mais puisque je te dis que je déteste quand ils sont en couleur! pleurnicha-t-il. C'est des trucs de minets et puis d'abord, ça gratte!

Elle choisit de l'ignorer et se mit à marcher plus vite. Ce jour-là, elle ressemblait à un garçon avec ses bottes cavalières, son jean rentré dedans et sa chemise très ample d'un bleu doux. Elle avait jeté sur ses épaules un manteau de cuir marine taillé comme la redingote d'un cocher d'où dégringolait un collier de turquoises.

– Alors, tu te dépêches? s'écria-t-elle.

– Tu veux que j'entre dans un bazar pour play-boys? Pour trois slips et deux caleçons! N'y compte pas! hurla-t-il en rebroussant chemin.

– Hep, pas si vite! Tant qu'on y est, on va changer ta garde-robe. Et ce ne sera pas superflu.

– J'aurais dû m'en douter, maugréa-t-il. Les femmes ont vraiment des idées lumineuses! Elles vous disent des mots tendres pour vous amadouer et ensuite elles vous font dépenser vos sous!

– Mais c'est toi qui l'as voulu, non?

– Sauf que ça commence par une paire de chaussettes et qu'on se retrouve deux heures plus tard à ne plus pouvoir fermer ses placards.

– Un écrivain célèbre comme toi n'a pas le droit de se fagoter comme tu le fais. Si au moins tu évitais les fautes de goût, mais non, même pas, tu t'en fiches!

– Comme de ma première chemise... A t'entendre, il faudrait que je rentre mon ventre, que je mette des vestes bien cintrées et des pantalons sans faux plis. Moi, j'ai besoin de bouger, tu comprends, et j'ai surtout envie de me sentir à l'aise.

– Qui te dit le contraire? Il suffit de trouver une gamme dans ton style. Je suis sûr qu'ici ils auront ce qu'il te faut, ajouta Dinah en pénétrant résolument dans la boutique.

– Non, je t'attends là. Rien qu'à voir la tête du vendeur, j'ai des doutes. Le genre plastron et cravate, très peu pour moi! Ses clients ont sûrement tous dépassé la cinquantaine. J'aurai l'air fin quand il m'aura déguisé en P-DG!

Un jeune homme tiré à quatre épingles s'avançait déjà vers eux, affichant son plus beau sourire :

– En quoi puis-je vous être utile, madame?

– Monsieur souhaiterait essayer. Des tenues de ville et aussi diverses choses pour le week-end. Nous ne sommes pas tellement fixés, mais nous voudrions de l'uni de préférence. Auriez-vous l'amabilité de nous montrer vos modèles?

– Mais certainement. Par ici, monsieur.

– Écoutez, c'est un malentendu..., gémit Harvey.

– Il ressort très bien dans les coloris pastels, intervint Dinah d'autorité. Je verrais assez un vert tendre ou un bleu pâle.

– Madame a vraiment l'œil..., reprit le vendeur de sa voix compassée. Je viens justement de recevoir la nouvelle collection de shetlands. Pour le costume et les accessoires, nous verrons ensuite, si voulez bien.

Harvey soupira, résigné, et entra dans la cabine comme s'il allait au supplice.

Dinah s'installa dans un fauteuil et accepta le verre de vin que l'on venait de lui tendre. Quelques minutes plus tard, le rideau s'ouvrit sur la plus surprenante des apparitions.

– Avec sa carrure et sa prestance, monsieur aurait avantageusement porté l'uniforme, minauda l'employé. Il est paré de pied en cap! Et pas besoin de retouches.

Dinah le laissa palabrer pour détailler tout à son aise l'homme superbe qui s'avançait gauchement en tirant sur les coutures de son pantalon de flanelle grise. Sous l'impeccable blazer bleu horizon, apparaissait une chemise d'un blanc éclatant rehaussée par une cravate avec des motifs cachemire sur fond rouge. La tenue se complétait de mocassins italiens en cuir noir.

– Qu'est-ce que tu as à me regarder comme ça? rugit Harvey. Tu voulais m'envoyer à la parade, non? Eh bien, c'est gagné! Si vous aviez l'obligeance de me déficeler, reprit-il à l'adresse du responsable, vous m'en verriez ravi...

– Monsieur a tort, je vous assure...

– N'en rajoutez pas. C'est exactement comme si on accrochait des perles au cou d'un chien! Vous voulez que je vous dise, moi, à quoi je ressemble? A un cadeau de Noël! Voilà!

Dinah lui sourit, attendrie. Elle avait envie de lui dire que jamais il n'avait été aussi séduisant mais elle eut peur qu'il prenne ce compliment pour une flatterie et qu'il s'emporte encore. Plus que tout, elle redoutait un scandale dans le magasin et contre cette rage qui déferlait en lui, elle

décida d'utiliser la seule arme possible : la diplomatie.

– Est-ce que mon avis ne compte plus ? Tant pis
si tu t'en moques, mais je te trouve très beau. Et je
suis fière que les gens nous voient ensemble dans
la rue.

Elle avait touché la fibre sensible et Harvey se
rengorgea :

– Vrai ? Je te plais ?

– A moi aussi, dit le jeune vendeur en baissant
les yeux. Mais il ne faut pas en rester là. J'ai
d'autres articles à vous proposer. Si vous le sou-
haitez, naturellement...

– Au train où vont les choses, nota Harvey avec
désinvolture, ou je me transforme sur-le-champ
en portemanteau, ou je signe un contrat de mannequin de luxe.

Ils éclatèrent de rire sous le regard blessé du
jeune vendeur.

– La mode, déclara ce dernier d'un ton très
docte, c'est aussi bien une affaire d'imagination
que de rigueur. Voilà pourquoi les coupes et les
colories classiques attirent toujours autant notre
clientèle.

Harvey le regarda, éberlué.

– Tant mieux pour vous ! Mais moi, je n'ai pas
l'habitude de me couler dans le moule. Et pour ne
rien vous cacher, je m'étonne que vous n'ayez pas
songé à renouveler les motifs de vos écussons sur
les blousons. Je me verrais très bien avec un ange-
lot sur la poitrine.

Dinah comprit l'allusion et son visage s'éclaira
d'un large sourire qui laissa pantois leur interlocuteur.

Sans rien dire, il les mena à la caisse, emballa leurs achats, leur tendit du bout des doigts la carte de crédit et ne jugea pas utile de les raccompagner jusqu'à la porte.

La femme de ménage s'était montrée très efficace, comme à l'ordinaire. Il n'y avait plus un grain de poussière dans la chambre d'Harvey et le plumeau était passé partout où il s'imposait, laissant l'appartement propre et bien en ordre. Mais comme chaque semaine, Maria avait rebroussé chemin devant le bureau du maître, effrayée sans doute par la tâche à accomplir. Car il était impossible, sous peine de se rompre les os en trébuchant sur l'un des innombrables dossiers qui jonchaient le sol, de pénétrer dans cet antre dont l'accès était d'ailleurs rigoureusement interdit à toute personne étrangère...

Dinah soupira en jetant un coup d'œil dans la pièce entrouverte. Sur les rayons de la bibliothèque, des chaussettes dépareillées, des bouteilles vides et des raquettes de tennis au cordage défoncé avaient abusivement pris la place des livres...

— Écarte-toi du passage! bougonna-t-il en tirant derrière lui un sac poubelle ventru. Je finirai bien un jour par venir à bout de ce chantier. Si je n'attrape pas une hernie avant!

— Comment as-tu fait pour vivre là-dedans avec ce linge sale? demanda Dinah d'un ton apitoyé.

— J'avais des scrupules vis-à-vis de ma machine à laver. Elle ne digère pas n'importe quoi. Et puis, l'habitude est une seconde nature, comme disent tes philosophes... Mais il ne faut pas que ça nous empêche de faire une petite pause. Si on sirotait un verre, le dos au feu? C'est un temps à ne pas mettre un chien dehors!

– Je propose qu'on termine d'abord de vider le tombeau de Toutankhamon. Tu devrais m'apporter un autre carton.

Harvey dégringola l'escalier en pestant contre les femmes en général et contre celle-ci en particulier. Deux minutes plus tard, il était de retour, un pack de bière à la main. Il s'assit à même le plancher et, en trois longues gorgées, engloutit la première canette.

– Tu en veux?

Dinah fit une grimace de dégoût et secoua la tête.

– Est-ce que tu te rends compte, reprit-il en essuyant ses lèvres à sa manche de chemise, que tu es en train de jeter tous mes souvenirs?

– Tu conviendras qu'ils ont une drôle d'allure..., fit-elle en exhibant une vieille basket sans lacet.

– D'accord, je te l'abandonne. Mais ne t'avise pas de toucher à cette caisse, là, derrière toi. Ce sont mes livres de prix, quand j'étais au collège. Tiens, regarde, ajouta-t-il en saisissant une photo, c'est moi avec la classe de latin.

– Mais j'ignorais que tu avais fait ce genre d'études...

– Eh oui, j'ai frayé avec les Anciens. Ça rehausse mon image de marque, hein? L'ami Cicéron avait quand même un sacré vocabulaire. Le mot que j'ai toujours préféré dans les citations, c'est bibendum. On le traduisait par: « Buvons maintenant à la santé de l'Empire romain. » Voilà comment on devrait tous envisager l'Histoire!

Dinah sourit et observa attentivement la photo. Sur le cliché, Harvey était un adolescent tout en jambes et il y avait dans son regard quelque chose de sauvage et d'indiscipliné, comme s'il posait, contraint et forcé, au milieu de ses camarades. Son visage aux traits anguleux, comme taillés au couteau, montrait une mâchoire carnassière et un menton volontaire qui révélaient déjà la force de sa personnalité. Mais derrière les apparences, on ressentait une sorte de lassitude. Sous ses vêtements élimés, l'élève McClure dissimulait mal sa pauvreté.

– Il te plaît, ce jeune premier? demanda-t-il d'une voix bourrue. J'avais vraiment une drôle de touche! Il faut dire qu'en ce temps-là, je bossais comme un nègre. En plus des cours, je travaillais à l'usine. Après-midi, week-ends et vacances en prime!

Dinah eut soudain honte d'avoir été une petite fille gâtée, choyée même, et qui vivait dans l'unique souci de bien choisir ses robes et de ne pas les salir.

– Je suppose qu'il n'y avait pas moyen de faire autrement..., dit-elle à voix basse.

– Pas vraiment, non. Mais j'étais un gosse difficile, tu sais. Un petit voyou, comme on disait chez moi, et il fallait toujours que j'en découse avec quelqu'un. Tout le temps à me bagarrer et, quand je rentrais à la maison, mon père me battait à cause de mes poches déchirées. J'ai appris la vie dans la rue, tu vois. Et l'injustice aussi. Un jour, je me suis fait renvoyer de l'école et le principal a humilié ma mère. Cette blessure-là, je l'ai encore et elle n'est pas près de se refermer...

111

– J'ignorais tout ça. Je croyais que tu avais déjà ta nature enjouée...

– Quand on vit dans une petite ville et qu'on n'a pas le sou, tout le monde vous montre du doigt. Ça fait passer l'envie de plaisanter, je t'assure! Surtout avec un père comme le mien.

– Pourquoi dis-tu ça?

– Parce qu'il nous en a fait voir. Jamais de quoi payer ses dettes et souvent un coup de trop. Quand il s'est tué en camion, on était vraiment soulagés. C'est dur à dire mais c'est comme ça. Je n'arrive pas à lui pardonner d'avoir passé pour un gueux à cause de lui.

– Et maintenant, ça te fait quel effet d'être habillé comme un prince?

– C'est comme si j'avais jeté dans le même sac mes oripaux et mon maudit passé, avoua-t-il en souriant.

– Tu vois que j'avais raison de te pousser. Tu entames une nouvelle phase de ton existence et c'est un peu grâce à moi.

– D'ici peu, tu me verras en couverture des magazines.

– Sûrement pas! protesta-t-elle avec véhémence. D'ailleurs, je te trouve beaucoup plus attirant en chair et en os. Si tu essayais de me séduire, maintenant? reprit-elle, une moue suggestive aux lèvres.

– Ici? Dans ce fatras? Mais ma parole, qu'est-ce qui t'arrive? Tu renies tes beaux principes?

– Oui, moi aussi je fais table rase. Et je vais même t'avouer que je t'adore dans tes vieux jeans. Ils sont tellement plus attirants que ta tenue de gentleman... Et puis je me moque de toutes ces choses qui traînent partout. J'ai simplement envie de toi et...

– Magnifique! Est-ce que tu sais qu'on devient «compatibles» comme tu dis, toi et moi? On est fait pour s'entendre.

– Marché conclu, mais..., murmura-t-elle en lui tendant sa bouche.

Il faisait inhabituellement froid, en ce début décembre. Des nuages bas s'agrippaient aux toitures et la bruine s'acharnait sur la ville dans une mauvaise lumière grise. C'était, selon l'expression de Harvey un «temps à la Russe», une de ces journées à passer à boire du thé brûlant et à picorer des petits gâteaux.

Bien au chaud dans son bureau de la mairie, Dinah regardait les ombres du crépuscule descendre sur Mount Pleasant. La pendule du palais de justice venait à peine de sonner cinq heures que déjà la nuit commençait à tomber.

Elle avala une gorgée de café fumant et se replongea dans ses dossiers. Au moment où elle approchait la lampe d'architecte de ses feuilles, le grésillement de l'interphone la fit sursauter:

– Tu as Harvey en ligne sur la une! Tu le prends? demanda la voix de Lulla Belle. Décidément, il ne change pas, ce zèbre! Il vient de me demander pourquoi je perdais mon temps ici alors qu'il y a tant d'hommes à conquérir. Je lui ai dit que j'avais d'autres chats à fouetter. Enfin... Bon, je te le passe.

– Ça ne vous mènera à rien de flirter avec un clerc de notaire, cher monsieur, dit d'emblée Dinah à son interlocuteur.

– Ce serait plutôt à vous de surveiller vos employées, madame le maire. A moins que vous n'ayez mis le dévergondage à l'ordre du jour, renchérit-il.

– Je t'entends à peine. D'où appelles-tu?

– De sous ma couette, bien sûr.

– Est-ce qu'un jour tu réussiras à être sérieux?

– Pas quand tu me parles. Il suffit que je t'imagine pour qu'aussitôt je sois complètement déconcentré.

– Si tu me voyais en ce moment, tu serais plutôt déçu. Je ressemble à un chien mouillé. J'ai passé le début de l'après-midi à m'occuper du réseau des canalisations. C'était très excitant.

– Comment se fait-il que tu n'aies pas une carte de la voierie?

– Le problème c'est qu'Ervin Flortney, mon honorable prédécesseur, l'a perdue...

– Comment ça, perdue?

– Disons qu'il a jugé préférable de l'égarer. Il y a en fait un mystérieux tuyau de raccordement sous sa maison et, tant qu'on n'arrive pas à le localiser, il a l'eau gratis. Fascinant tout ça, n'est-ce pas, mon cher Watson?

– L'histoire souterraine de cette ville m'a l'air en tout cas aussi passionnante que farfelue! Il faudra qu'un de ces jours, je me déguise en fontainier, cria la voix lointaine.

– Parle-moi plutôt de Dallas, reprit Dinah. Tu as fait ta conférence, finalement?

– Pour l'instant, je me prélasse dans une suite, ma chère! J'espère que ça t'épate. Figure-toi que j'occupe l'appartement où a séjourné Jimmy Carter.

– Aurais-tu par hasard des visées sur la présidence?

– Non, mais sur la vie de palace, oui! Le réfrigérateur contient suffisamment de bouteilles pour soutenir un siège. Heureusement que j'ai invité le groupe de blue-grass à venir m'aider à les vider. J'aime bien ces musiciens; ce sont des copains. Et quand ils jouent de la mandoline et du banjo, crois-moi, c'est l'enfer! D'ailleurs ici, c'est fou ce qu'on peut boire. C'est à celui qui organisera un cocktail en mon honneur.

– Tu ferais mieux de raccrocher, dit-elle en riant. Je ne voudrais surtout pas perturber le programme des réjouissances...

– Okay. Je t'embrasse fort comme je t'aime. Et n'oublie pas de faire un baiser pour moi à Lewis.

– Tu peux être rassuré. Je lui parle tous les soirs de son papa!

Dinah souriait encore lorsqu'elle raccrocha. Il avait suffi de cet appel surprise pour lui donner du baume au cœur. Chaque jour, Harvey lui devenait plus précieux. Comment aurait-elle pu lui expliquer tout ce qu'elle ressentait? Mais il était en voyage, loin d'elle, entouré par des gens inconnus qui, eux, avaient la chance de l'approcher et d'écouter sa voix douce et grave...

Soudain, une porte claqua et interrompit sa rêverie.

Dinah vit Lulla sortir comme une furie du bureau voisin et se précipiter dans le couloir:

– Dehors! hurla-t-elle. Vous entendez? Ou j'appelle la police!

La jeune femme sentit son estomac se contracter. Elle se leva mais on eût dit que ses jambes ne voulaient plus la porter. En proie à un sinistre pressentiment, elle se dirigea vers la porte. Un homme se tenait devant elle, une lueur glacée dans ses yeux pâles :

— Comme ça me fait plaisir de vous revoir, chère mademoiselle... après tant d'années... dit Todd Norins.

Il avait conservé l'inquiétant sourire de naguère.

9

Harvey tira voluptueusement sur son havane. La vie était belle, vraiment et, à cet instant, il avait la certitude que le succès ne le quitterait jamais.

Il pénétra en sifflotant dans l'ascenseur vieillot qui le mènerait directement à ses appartements particuliers. La grille se referma lentement, et il se prit à imaginer les grooms d'antan dans leur livrée rouge et dorée qui, de leur main gantée, appuyaient sur les boutons de cuivre et conduisaient aux étages les hôtes de marque qui fréquentaient le palace.

Les créatures riches et célèbres avaient maintenant disparu, comme happées par les longs corridors aux lumières douces. Il y avait eu Rudolph Valentino, et puis John Wayne, et même le grand Duke Ellington venu animer avec son fabuleux orchestre les nuits de Dallas.

Il fouillait dans sa poche à la recherche de sa clef, lorsqu'il aperçut une petite valise qui barrait l'entrée de sa porte. Un peu plus loin et adossée au mur du couloir, une fragile silhouette toute tassée sur elle-même happa son regard.

– Dinah! s'écria-t-il. Mais depuis quand es-tu là? Qu'est-ce qui t'arrive? Ma chérie, réponds-moi!

– Ça suffit comme ça, la plaisanterie est terminée maintenant. Il est temps de jeter les masques! dit-elle, cinglante. J'ai enfin découvert ton jeu.

Pour la première fois de sa vie, Harvey resta sans voix. Le choc était tel qu'il se sentit incapable de protester. Bouche bée, il considéra la jeune femme si soignée d'ordinaire et qui ce soir avait l'allure d'une furie avec ses cheveux en désordre et ses yeux cernés. Elle avait dû jeter à la hâte son manteau sur ses épaules et n'avait pas pris la peine de retirer un jean sale.

– Gifle-moi ou explique-toi, mais ne reste pas comme ça! la supplia-t-il.

– A quoi bon...?

Des larmes se remirent à couler sur son visage. Des larmes nerveuses et amères, aussi.

– Je voulais tellement croire en toi..., balbutia-t-elle. Et tu as tout cassé! Comme tu as dû avoir honte...

– Je te jure que je ne sais pas de quoi tu parles! Est-ce qu'il faut que je me jette à genoux, que je saute par la fenêtre? Tu es tout pour moi. Comment pourrais-je te faire du mal?

Il lui effleura maladroitement la joue.

– C'est trop facile, tes petits gestes tendres. Moi, j'attends des explications!

– Au nom du ciel, Dinah, vide ton sac pour de bon!

– Ça te va bien de jouer les innocents. Mais tu ne t'en tireras pas comme ça. Moi, je veux comprendre! J'y ai droit, non?

Harvey ouvrit mécaniquement sa porte et poussa la jeune femme dans la vaste pièce aux épaisses tentures.

– Je t'écoute, dit-il en jetant son manteau sur la méridienne.

Dinah respirait pesamment, en proie à un trouble violent. Elle se mordit les lèvres, se passa la main sur le front et regarda en direction de la baie vitrée. Puis elle se retourna soudain et lui fit face.

– Qu'est-ce que tu as promis à Norins en échange? lâcha-t-elle d'une voix tremblante. Un papier dans tes colonnes sur son nouveau show? C'est quoi ce marché, entre vous? Vous vendez mon histoire à des millions d'exemplaires et vous vous partagez les bénéfices? C'est ça la belle combine, hein?

– Tu divagues ou quoi? Mais que vient faire ce type entre nous?

– C'est justement ça que je te demande! Il est venu me voir aujourd'hui même à mon bureau, et tu le sais très bien, d'ailleurs! Il était même flanqué de son caméraman. Pour une interview, soi-disant. Seulement voilà, toi, tu lui avais tout raconté avant. Comment as-tu osé faire une chose pareille? Et dire que je croyais que tu m'aimais...

Ivre de rage, Harvey, la saisit par le bras.

– Comment peux-tu être aussi stupide? Tu as avalé ces racontars et ça ne t'a pas effleuré une seconde que ce chien galeux se servait de ta crédulité? D'un seul coup, tu as décidé de me jeter comme un malpropre. Mais je rêve! Très bien, reprit-il d'une voix frémissante, puisqu'il faut absolument te mettre les points sur les i, tu sauras que j'ai eu effectivement une conversation avec lui. C'était juste après notre première nuit ensemble. Je l'ai appelé simplement pour savoir

119

ce que tu t'obstinais à me cacher. Voilà! je croyais pouvoir t'aider.

— Peut-être, mais tu lui as donné mon adresse. Et il a tout de suite saisi l'occasion de se manifester de nouveau. Dis-moi la vérité ou je vais devenir folle.

Il soupira et se tut, comme si la lutte l'avait épuisé.

— Ton silence est un aveu. C'est bien, je m'en vais.

— Reste! hurla-t-il. De toute façon, tu n'es pas en état de faire quoi que ce soit et surtout pas de réfléchir. Ensuite, on parlera.

— Un peu de calme et les choses vont s'arranger d'elles-mêmes, c'est ça?

Il lui avança un fauteuil et la força à s'y asseoir.

Puis, délicatement, presque craintivement, il lui posa les bras autour du cou pour tenter de vaincre sa résistance. Dinah gardait son visage crispé, et une lueur dure et égarée animait son regard.

— Tu ne veux toujours pas me dire ce secret qui t'oppresse? Ça te soulagerait, pourtant...

— Va-t'en! Ne me touche pas! Je te faisais confiance et tu as tout détruit.

— Tu es vraiment sûre. Est-ce que c'est ma faute si tu m'as toujours pris pour un bluffer et pour un gentil amuseur public? Je ne te laisserai pas m'accuser!

Il hésita, soudain à court de mots. Ses mains s'étaient mises à trembler et jamais ses traits n'avaient été à ce point décomposés.

— Tu es en train de me haïr, je le vois à tes yeux, reprit-il péniblement. Si tu savais comme tu te trompes... Quand j'ai appelé Norins, je ne me doutais pas qu'il était capable de cela.

– Il faudrait que je te croie, après tout ce qui s'est passé... Il y a tant de confusion...

– Essaie, je t'en prie! Que s'est-il passé avant la mort de ton père?

Dinah le regarda une seconde sans ciller et elle baissa la tête aussitôt, la bouche sèche, brusquement :

– Il vaudrait mieux parler de ce qui se cache derrière... Quand il s'est tué, il... il n'était pas seulement le plus riche banquier de l'État de Georgie... C'était un homme à la réputation ruinée... Un voleur et un menteur!

Dinah s'arrêta, effrayée par sa confidence et éclata en sanglots. Harvey la serra contre lui dans un élan de reconnaissance : elle venait enfin de franchir le premier pas, le plus difficile aussi.

– Au moment où l'accident s'est produit, reprit-elle lentement, il devait passer en jugement pour fraude et détournement de fonds. Le préjudice portait sur vingt-cinq millions de dollars. Et ce que tu ne sais pas non plus, c'est... que le tribunal fédéral m'a accusée d'être au courant de ses malversations et de les avoir délibérément cachées.

De longues secondes s'écoulèrent avant que l'un et l'autre ne puissent parler à nouveau.

– Je suppose, dit Harvey comme s'il s'adressait à lui-même, que Norins a mis son nez dans cette affaire, peu de temps avant l'élection de Miss Amérique?

Dinah acquiesça en silence.

– Il y a autre chose encore, murmura-t-elle. Dans l'avion, mon père avait sur lui un certain nombre de pièces à conviction. Des documents faisant état de ses diverses transactions. Tout a été détruit quand l'appareil s'est pulvérisé. Par la suite, bien sûr, sans ces preuves et sans son témoignage, il n'était plus question de poursuites judiciaires. Quelque temps après, ils ont pu récupérer une bonne partie de l'argent disparu, mais il manque encore cinq millions de dollars.

Harvey la regardait dans les yeux et lui souriait.

– Tu as dû être soulagée...

– Non en vérité.

– Mais pourquoi? Ils t'ont enfin laissée en paix.

– Tu parierais sur mon innocence, n'est-ce pas?

– Évidemment! Je te connais comme si je t'avais faite!

– Eh bien tu te trompes...

– Quoi?

Le visage de Dinah s'empourpra brusquement et ses mains s'agitèrent.

– J'étais au courant, figure-toi, et j'ai préféré fermer les yeux. Les activités de mon père avaient beau être illégales, c'était mon père, tu comprends? J'ai bien essayé de lui parler, mais il m'a toujours affirmé que toutes ces rumeurs étaient sans fondement et moi, j'ai fini par le croire. Il faut dire que toute sa vie, il avait été quelqu'un de si honorable et de si idéaliste... Alors, reprit-elle en s'éclaircissant la voix, quand les enquêteurs sont venus me trouver, je me suis comportée comme une fille aimante et, devant eux, j'ai nié farouchement l'évidence.

– Mais tu n'as rien à te reprocher! Tu as simplement cherché à protéger la personne que tu chérissais le plus au monde.

– Oui, mais la justice ne se préoccupe pas des sentiments. Les agents du fisc ont découvert que papa avait ouvert un compte à mon nom et qu'il l'alimentait avec cet argent blanchi. Du coup, ils me sont tombés dessus et m'ont accusée de complicité. Là-dessus, Norins s'est emparé de leurs conclusions et il ne s'est pas privé de les répercuter à travers la presse. C'était le moment idéal pour lui. Faire descendre de son piédestal celle qui avait failli devenir Miss Amérique, tu imagines!

– Et ensuite?

– Trois semaines plus tard, j'étais inculpée. J'ai pris la peine maximale. Trois ans ferme. De toute façon, la banque était déjà suffisamment éclaboussée par le scandale pour refuser d'acquitter la caution nécessaire à ma remise en liberté. En fait, ils m'ont relâchée au bout d'un an pour bonne conduite.

Dinah se tut, épuisée par ce terrible aveu. Harvey, incapable de contrôler son émotion, la serra de toutes ses forces contre lui.

– Je t'aime, murmura-t-il. Si tu savais... Je ne veux plus jamais qu'on te fasse du mal! Tu es si pure...

Elle se dégagea de son étreinte et sourit faiblement.

– J'avais si peur que tu aies honte de moi... Tu comprends maintenant pourquoi j'ai tant retardé l'instant où il me faudrait te raconter tout ça...

Pour toute réponse, Harvey laissa couler ses larmes. La jeune femme lui saisit les mains et les serra avec dévotion.

– Ne pleure pas, mon amour. Il ne faut pas...

123

C'est loin, maintenant. Mon passé, je vais l'affronter avec toi et je n'ai plus de crainte puisque tu sais tout. Et puis, ces mois de détention n'ont pas été trop pénibles... C'était plutôt une prison dorée et, tu veux que je te dise, ça m'a permis de rencontrer des gens tout à fait intéressants. Par exemple des hommes d'affaires et des politiciens. Tu vois, aujourd'hui, j'arrive même à en plaisanter.

Harvey lui jeta un coup d'œil à la dérobée pour s'assurer que son humour n'était pas feint.

— Je serai complètement tranquille quand tu réussiras à parler de Todd Norins avec autant de détachement.

— Lui, c'est autre chose. Il est capable de n'importe quoi pour arriver à ses fins. J'ai su qu'il avait réussi à s'infiltrer dans les affaires de mon père en achetant l'un des membres du conseil d'administration. Il est vrai que papa avait des ennemis dans son entourage..

— Mais qu'est-ce qu'il voulait savoir au juste en te rendant visite ce matin? Le dossier est classé, non?

— Il est persuadé que c'est moi qui détiens les cinq millions envolés... Et il ne m'a pas caché ses intentions. Il veut me faire craquer. Pour ça, il va commencer sa propagande auprès des habitants de Mount Pleasant. Leur dire notamment qu'ils ont tort de faire confiance à la fille et complice d'un escroc. Je ne doute pas un instant qu'il mette ses menaces à exécution.

— Ne t'inquiète pas de ça. Je veillera à l'empêcher de nuire. Il ne sera pas dit qu'un type comme lui brise ta carrière. Tu es libre et en plus, tu es dans ton bon droit. Mais il est très tard et tu as beaucoup parlé. Il est temps de te reposer. Viens, je vais t'aider à te déshabiller. Avec tout ça, ajouta-t-il d'un voix claire, on allait oublier le dîner. J'appelle tout de suite la réception pour qu'on nous monte un plateau.

– Attends, dit-elle en le retenant par la manche. Je te demande de me pardonner pour tout à l'heure quand j'ai cru que tu étais de mèche avec Norins. C'est que, depuis la mort de mon père, j'ai dû hélas apprendre à me méfier des gens...

– Peut-être d'ailleurs que lui aussi, il était innocent.

– Il y a des jours où je t'envie d'avoir une si belle conception de l'existence.

– Tu y viendras, j'en suis sûr. Je t'aiderai.

Dinah s'était levée et regarda çà et là à travers le fastueux salon, comme s'il lui fallait emporter quelque chose avant de quitter les lieux. Harvey s'approcha d'elle.

– Mais qu'est-ce que tu fais? Tu t'en vas?

– Il le faut. J'ai juste le temps d'aller à l'aéroport. Je t'appellerai demain. Merci de m'avoir écoutée. Merci... pour tout!

– Il n'en est pas question, dit-il d'une voix dure en se plaçant délibérément devant la porte. Tu vas rester ici. Et demain, c'est moi qui te raccompagnerai chez toi.

– C'est mon problème! lança-t-elle d'un air de défi. Et je n'ai pas d'ordre à recevoir. De personne, tu entends?

– C'est ce qu'on va voir...

– N'insiste pas. Tu ne m'impressionnes pas avec tes airs de macho.

– Ou tu te calmes, ou je t'attache sur le canapé.
A toi de décider.

Dinah le dévisagea, suffoquée.

– C'est ridicule. Laisse-moi passer, s'écria-t-elle
en fonçant tête baissée.

Déjà, Harvey la rattrapait dans le couloir. Il lui
agrippa le poignet et le maintint serré dans son
dos. En deux enjambées, il avait poussé sa prisonnière dans la chambre et, sans ménagement, il la
força à s'allonger sur la méridienne.

– Tu n'as que ce que tu mérites! Tu te conduis
comme une gamine!

Dinha gigotait en vain. Elle sentit un corps se
plaquer contre le sien.

– Je te donne une dernière chance, souffla-t-il à
son oreille. Tu arrêtes de te débattre et je ne
touche plus. Ça sert à quoi de te fatiguer davantage?

Elle lui jeta un regard furibond et ravala sa
salive.

– Tu ferais mieux de retirer tes vêtements...

Elle sentit qu'elle capitulait. Sans un geste,
comme un enfant au bord du sommeil, elle laissa
Harvey lui délacer ses chaussures et lui défaire
son pantalon froissé. Il le fit de ses doigts experts
et rapides mais s'arrêta, soudain pensif, au
moment de dégrafer le ravissant bustier en soie
bleue que portait la jeune femme sous son pull
trop large. En deux secondes, il avait déjoué le
piège, libérant le magnifique poitrine.

– Tu respires mieux, non?

Brusquement gênée, Dinah se couvrit de ses
mains.

– Je vais te porter jusqu'au lit... Tu verras

126

comme les draps sont moelleux. Je veux que tu te reposes, jeune fille. Il la souleva précautionneusement et déposa son fardeau sous les couvertures. Il les remonta jusqu'à son nez et arrangea ses cheveux sur l'oreiller.

– Dors, maintenant, chuchota-t-il.

Harvey s'éloigna sur la pointe des pieds, gagna la salle de bains et revint avec une serviette humide qu'il lui appliqua doucement sur le front. Dinah sourit et se détendit. Ses paupières se firent plus lourdes et elle ferma les yeux sans résistance. C'était bien ainsi.

Un bruit insolite la força à se redresser d'un bond : elle vit Harvey occupé à vider consciencieusement le contenu de son sac à main. Il s'agenouilla à son chevet en tenant d'un main sa brosse à cheveux.

– J'ai failli manquer à tous mes devoirs, dit-il d'un petit air contrit. J'oubliais que tu te fais un chignon pour la nuit. Laisse-moi faire. Je vais m'appliquer, mais je ne suis pas persuadé que la raie sera vraiment au milieu...

Trois coups frappés à la porte interrompirent la délicate entreprise. Un maître d'hôtel entra, poussant une table roulante chargée de victuailles.

– Ces messieurs-dames sont servis, annonça-t-il en s'inclinant cérémonieusement avant de tourner les talons.

– J'ai commandé tout ce que tu préfères, ma chérie. Soupe aux clams, poulet en salade, lasagnes et crème glacée au chocolat. Ça te convient?

– Mais tu me traites comme une princesse... Vraiment, j'aurais tort de...

La phrase resta en suspens sur ses lèvres : Harvey venait de jeter jean et caleçon par terre et il exhibait son corps parfait avec un naturel déconcertant.

— Le dîner peut attendre, susurra-t-il en se glissant à côté d'elle. Il faut d'abord que je te réchauffe. Tes mains sont glacées! Le geôlier a décidé de prendre soin de sa prisonnière.

Tous deux maintenant se taisaient. La chambre était noyée dans la pénombre et, au-delà de l'immense baie vitrée, les lumières de la ville scintillaient, innombrables.

— Je veux toujours être près de toi, murmura-t-il. Et si quelqu'un s'avise de te nuire, je te jure qu'il aura affaire à moi!

— Chut... On a déjà suffisamment parlé comme ça, tu ne crois pas?

— Il le fallait. Surtout pour toi.

— Tu es la première personne à qui j'ouvre mon cœur. Et tu ne peux pas savoir le bien que ça m'a fait.

— C'est l'essentiel, mon amour.

Bientôt les mots redevinrent inutiles et il n'y eut plus dans le silence de la nuit que leurs soupirs étouffés. Harvey s'enroula autour d'elle, tressant sur sa peau des liens si doux qu'il était impossible de s'en défaire. Dinah se livra corps et âme à cet homme impatient qui la caressait toujours et la serrait plus fort. Lorsqu'ils seraient étroitement unis, ils chevaucheraient loin, emportés ensemble dans leur monde à eux où la passion occupait toute la place...

Quand, au petit matin, Harvey ouvrit les yeux, il sut d'instinct qu'elle était partie.

10

LA chaudière du collège tomba malencontreusement en panne au début de la matinée et le principal prit la décision de fermer l'établissement pour le reste de la journée.

Dinah en profita pour rejoindre sa mairie où elle se réfugia comme dans un sanctuaire. C'était d'ailleurs préférable pour elle de se barricader dans son bureau : depuis la visite surprise qu'ils avaient effectuée la veille au domicile de la jeune femme, Todd Norins et son acolyte rôdaient dans la ville, l'œil aux aguets. Sans nul doute, ils commençaient déjà leur sale besogne et d'ici peu, les gens s'alarmeraient et chercheraient à en savoir plus sur le compte de leur maire.

Elle reposa sa tasse de café et se passa les mains sur son visage fatigué. Elle n'avait pu dormir de la nuit, après avoir quitté sans bruit le lit de Harvey, là-bas, à Dallas. Qu'avait-il bien pu penser, à son réveil ?

Le bouton de la ligne intérieure venait de s'allumer et elle appuya dessus machinalement.

– Il y a là une certaine Millie qui insiste pour que tu la reçoives, annonça Lulla. Je la fais entrer ?

– Oui, qu'elle vienne, répondit Dinah comme un automate.

Lorsqu'elle vit venir à elle la petite blonde pétulante, elle réalisa d'un seul coup à qui elle avait affaire. Son cœur se mit à battre et un timide sourire de bienvenue se dessina sur ses lèvres.

La secrétaire d'Harvey, emmitouflée dans un énorme manteau de fourrure qui la faisait ressembler à un esquimau, tira brutalement une chaise et s'assit sans façon.

– McClure m'envoie en renfort. Il m'a appelée. Il paraît que vous avez besoin d'un coup de main. Alors me voilà! A compter de cette minute, vous aurez un garde du corps à demeure. Pour ne rien vous cacher, ajouta-t-elle du même ton autoritaire, je n'ai jamais vu mon patron comme ça. Et j'ai l'impression qu'il tient à vous.

Dinah choisit d'ignorer la remarque et fit un geste vague, comme pour signifier que cela n'avait aucune importance.

– Vous savez, reprit l'assistante de choc, vous pouvez faire exactement comme si je n'étais pas là. Je vous surveille et j'interviendrai simplement au cas où... J'ai une vieille pratique des arts martiaux et les gros bras ne me font pas peur! conclut-elle en dégainant comme l'éclair un revolver de taille respectable.

Dinah recula instantatément sur son siège:

– Rangez ça, voyons! C'est dangereux!

– C'est fait pour! Sensibiliser l'adversaire, c'est la meilleure méthode. Je l'ai apprise quand je faisais mon stage dans la marine nationale. Une rudement bonne école, vous savez! Oh, je me doute de ce que vous pensez, lança-t-elle avec bonhomie, l'armée, ça n'arrange pas les femmes. Tenez, c'est vrai que par moments j'envie des beautés comme vous. Vous êtes si mince et tellement élégante dans cette robe rouge! Notez au passage que c'est la couleur du pouvoir. De la domination, je veux dire.

Dinah s'amusait malgré elle. L'envoyée spéciale de Harvey lui devenait à chaque minute plus sympathique. Elle aimait sa franchise et ses drôles de manières.

— C'est gentil à vous de vous être déplacée, mais, pour l'instant, je ne suis pas en péril. Mes collègues et mes élèves m'ont regardée un peu étrangement, ce matin, mais ils n'ont pas fait de commentaires désobligeants et je n'ai pas encore reçu de coup de fil anonyme... Excusez-moi une seconde, dit-elle en interrompant le grésillement du téléphone. Oui, j'écoute?

— C'est Lulla. Dis-moi, tu as convoqué les médias? Parce que je suis avec une équipe de quatre reporters de Birmingham. Deux télés et deux quotidiens. Je fais quoi?

— Vous voulez que je les fiche dehors? s'enquit Millie qui avait branché le haut parleur de l'interphone.

— Non, je vous en prie! protesta Dinah. Bon, Lulla, tu leur dit que je ferai une déclaration d'ici une heure sur le perron de l'hôtel de ville. Je ne veux voir personne d'ici là. Compris?

Elle avait à peine eu le temps de raccrocher que la porte s'ouvrait avec fracas, livrant passage à un Walter Higgins surexcité. Millie sauta sur ses pieds comme un ressort:

— Stop ou je tire!

131

– Mais enfin, qu'est-ce qui vous prend? cria Dinah, indignée. C'est un membre du conseil municipal!

– C'est l'état de siège, ou quoi? dit froidement le visiteur.

– Pardonnez-moi, Walter, et asseyez-vous. Vous vouliez me parler, je suppose.

– C'est-à-dire, madame, que... Voilà, c'est à propos des rumeurs qui circulent en ville sur votre compte. Et nous, on aimerait savoir à quoi s'en tenir. Les faits sont troublants, vous comprenez et...

– Je sais. Soyez sans crainte, tout à l'heure, je répondrai à votre attente. Je donne une conférence de presse et bien sûr, elle sera publique. Libre à chacun d'y assister.

Higgins la salua, jeta un regard soupçonneux à Millie et sortit rapidement.

– M'est avis que la partie ne fait que commencer..., lâcha la secrétaire d'Harvey d'un air entendu.

Dinah soupira. Elle n'avait jamais autant souhaité la présence de son ami à ses côtés.

Dans le ciel d'un bleu très pur couraient des nuages effilochés poussés par un vent âpre et froid. C'était un splendide après-midi d'hiver.

Dinah se tenait debout devant la mairie, face à la foule de ses concitoyens qui se frottaient les mains et dansaient d'un pied sur l'autre pour se réchauffer. La jeune femme remonta le col de son manteau en laine blanc et jaugea l'assistance d'un œil attentif. Ils étaient tous là et semblaient déjà suspendus à ses lèvres. Millie se trouvait juste derrière, bien campée sur ses jambes et les mains enfoncées dans les poches, prête à s'interposer à la moindre alerte.

Les reporters se détachèrent du premier rang et s'avancèrent, micros tendus.

Leurs questions furent brèves et ses réponses sans détour. Elle leur confirma qu'effectivement, elle avait eu, six années auparavant, maille à partir avec la justice et qu'elle avait payé son tribut à la société. Oui, elle avait bien passé un an sous les verrous, mais non, elle ignorait ce qu'il était advenu des sommes dérobées.

— Et maintenant, mademoiselle Sheridan, intervint le correspondant du *Birmingham Sentinel*, quels sont vos projets à court terme? Un livre? Un film? Allez-vous prochainement signer un contrat? *Playboy* vous a-t-il contactée pour des séances de pose? Si oui, travaillerez-vous au cachet?

— Je n'ai pris encore aucune décision... Et j'ai l'intention de m'accorder le temps de la réflexion. Voilà, ce sera ma dernière déclaration. Je vous remercie, messieurs.

« Ouf, se dit-elle, j'ai évité le pire. Ces aboyeurs sont vraiment redoutables et ils se donneraient pour un scoop... »

Elle allait s'éloigner en direction du hall quand un cri jaillit du public et la retint instantanément sur place:

— Hep! Pas si vite! J'aurais un mot à vous dire à tous, clama une voix tonitruante. La presse sera, j'en suis sûr, intéressée par les propos de l'ancien maire de cette commune!

Des murmures s'élevèrent et s'estompèrent aussitôt.

Un homme au visage congestionné fendit la foule en jouant des coudes et gravit résolument les marches du perron.

– Ça par exemple, vous ne manquez pas de toupet! rugit Millie. Vous allez me faire le plaisir de dégager en vitesse!

Dinah, du regard, lui signifia de se taire.

Ervin Flortney, engoncé dans sa veste criarde, la dévisageait avec arrogance.

– Vous nous devez, il me semble, certaines explications, clama-t-il, en prenant l'assemblée à témoin d'un geste large de tribun. Combien de temps encore allons-nous tolérer qu'un soi-disant maire affiche ses mœurs dépravées devant nos enfants?

– Quoi? Mais faites-le taire! gémit Dinah.

– Parfaitement! Et votre mine effarouchée ne m'impressionne pas. Quand je pense que vous osez parader dans des tenues dignes d'une fille de cabaret, et qu'en plus vous vous servez généreusement dans les caisses de la ville pour vous les offrir! Mais c'est une honte! Les honnêtes gens en ont par-dessus la tête. Votre comportement est indigne, vous entendez? Depuis quand un élu a-t-il le droit d'entretenir une liaison coupable avec un aventurier comme il en traîne ces temps-ci dans nos rues? Au nom de la morale, j'exige que vos fonctions vous soient retirées.

Un tonnerre de protestations et d'acclamations mêlées parcourut les rangs. Dinah, effondrée, regardait au loin en cherchant désespérément une main secourable qui se tendrait vers elle. Soudain, elle aperçut une voiture noire qui venait de s'arrêter devant le palais de justice. L'instant d'après, elle identifiait la Cadillac. Son sang ne fit qu'un tour et elle constata avec soulagement que personne n'avait bougé tandis que l'orateur palabrait toujours, offrant son meilleur profil aux caméras.

— Elle rougit, vous voyez! poursuivit Flortney. La seule chose qui lui reste à faire, maintenant, c'est de quitter la ville. Mount Pleasant lui trouvera sans peine un remplaçant. D'ailleurs, les libéraux ont fait leur temps. Qu'ils déguerpissent et leurs beaux principes avec.

— Il y en a qui ont le verbe haut, on dirait! lança une voix impétueuse. Et qui vont bien vite en besogne...

Ervin sentit le souffle lui manquer. Il se mit à se contorsionner en tous sens pour dénicher le fauteur de trouble.

— Montre-toi! hurla-t-il. A moins que tu sois trop lâche...

— Un type de ton gabarit ne ferait pas peur à une mouche, dit Harvey qui s'avançait vers lui, un sourire méprisant aux lèvres. Mais si tu veux en découdre, mon bonhomme, c'est le moment.

— Non mais, regardez moi ça! Pour qui se prend-il, celui-là? rétorqua l'autre d'une voix nettement moins assurée.

— Je ne permettrai pas qu'on insulte devant moi mademoiselle Sheridan. Te voilà prévenu.

— Tiens donc... Tu ne l'appelles plus par son prénom...

Le coup avait porté et Harvey se rua sur celui qui l'insultait. Il le saisit par le col et le fit décoller de terre.

— Répète et je te tasse la figure!

Flortney, les yeux fous, battait des mains et frappait dans le vide, en jurant entre ses dents. Harvey eut un ricanement provocateur et relâcha légèrement son étreinte. Aussitôt, l'autre lui cracha au visage en s'écartant précipitamment :

– Ce n'est tout de même pas un étranger qui va faire la loi chez nous, non?

Harvey, le teint livide et les poings serrés, le considéra un moment, impassible, comme étrangement calme. Soudain, il fonça sur l'adversaire et lui démolit le menton d'une manchette. Mervin gémit et s'affaissa.

– Arrêtez! cria Millie. On se croirait dans un ring!

Aussitôt, d'un mouvement imparable, elle ceintura son patron et le tint en respect.

– Oui, elle a raison, intervint le chef de la police venu à la rescousse. Allez, ça suffit comme ça, les gars, on se calme. Sinon je vous dresse procès verbal pour désordre sur la voie publique.

Harvey essuya la sueur qui coulait de son front et saisit le bras de Dinah.

– C'était plus fort que moi... Tu comprends, n'est-ce pas?

– Je te revaudrai ça, McClure! siffla Flortney en brossant furieusement ses habits. Et tu ne perds rien pour attendre!

Il descendit les dernières marches et lui adressa un geste obscène avant de disparaître dans la foule.

– Ne recommence jamais ça, grinça Harvey en essayant de se dégager des bras de fer de sa secrétaire, sinon je te fais avaler ton dentier.

L'incident était clos mais il baissait la tête

comme un enfant pris en flagrant délit. Les caméras de la télévision qu'il venait seulement d'apercevoir éteignaient leurs projecteurs. Elles avaient tout enregistré...

Tandis que les témoins restés présents achevaient de se disperser par petites grappes, Dinah s'approcha de lui et tendrement, elle lui caressa la joue.

— Je me demande si un jour tu réussiras à modérer tes excès... Tu as vu dans quel état tu t'es mis? Il va falloir encore que je panse tes blessures...

— Si tu veux, je peux aller t'attendre sagement chez toi..., murmura-t-il d'un air penaud.

Les derniers feux du crépuscule s'estompaient et accrochaient leurs lueurs roses et mauves sur le pin parasol qui dissimulait la maison aux regards indiscrets.

Dinah rabattit la porte du garage et vit Harvey qui courait à sa rencontre, un sourire conquérant aux lèvres. Il s'était mis à l'aise, comme à son habitude. Il portait son éternel jean, un sweat-shirt sans âge et ses inusables chaussures de sport.

Il ramassa une pomme de pin et la lui tendit.

— Cadeau, dit-il en la prenant par l'épaule. Rentrons. Il fait frisquet.

Noureïev salua sa maîtresse par une théâtrale ovation et Lewis, enroulé dans sa capuche en laine, continua de se balancer sur le rocking-chair, sans un regard pour son maître.

Dinah disparut dans la salle de bains avec l'intention de prendre une douche bien chaude.

Les événements de la journée l'avaient épuisée et elle voulait à tout prix se laver de tout cela.

Lorsqu'elle revint au salon, elle avait revêtu le kimono bleu électrique qu'Harvey lui avait offert récemment. Elle s'assit en tailleur sur le canapé et poussa un soupir de satisfaction. Harvey la rejoignit et, délicatement, il se mit à masser les pieds nus de la jeune femme. Dinah ferma les yeux en espérant que la douce caresse se prolonge longtemps encore.

— Détends-toi, murmura-t-il. Les massages sont d'excellents remèdes. Tu l'as remarqué, souvent ils apportent l'oubli. C'est comme si on avait une nouvelle peau...

— Il y a une chose que je n'arrive jamais à effacer, ce sont tes mains. Je garde leur empreinte sur moi et je ne peux pas les retirer.

Harvey se troubla et finit par éclater de rire pour dissiper son émotion. Il attrapa la première bouteille qui se trouvait à sa portée et remplit leurs verres d'un geste hésitant.

— A toi.

— A nous, plutôt, rectifia Dinah. Dis-moi comment tu as occupé le reste de l'après-midi. Tu as pu travailler?

— Vaguement. J'ai eu du mal à me concentrer... C'est difficile d'écrire quand on a ses pensées ailleurs. Je m'inquiétais pour toi et...

— Est-ce qu'il y a eu des messages sur mon répondeur?

— Oui, mais j'ai laissé la machine se débrouiller avec tes correspondants.

— De toute façon, je m'en moque! J'ai besoin de faire le vide autour de moi.

– Qu'est-ce que tu as décidé?

– Tu veux dire dans l'immédiat? J'avoue que j'hésite. Quand on repart à zéro, c'est un peu comme si on sortait de convalescence...

– Mais tu dois te sentir plus légère maintenant, non?

– C'est une sensation si nouvelle encore... En même temps, plus ça va et plus je suis attachée à cette ville. Et je sais qu'au fond de toi, tu l'aimes aussi.

– Bien sûr. Mais il ne faudrait pas que Mount Pleasant passe avant le reste. Et j'ai un peu peur que tu te sentes ici comme dans un refuge. Tu ne peux pas continuer à t'y cacher toute ta vie. Tu n'as pas assez de confiance en toi, mais je suis persuadé qu'un jour tu feras de grandes choses. Que tu te réaliseras enfin.

– C'est drôle comme tu vois toujours la vie en rose...

– Sans doute parce que j'en ai bavé quand j'étais enfant et même après. Mais c'est vrai, je crois aux gens qui se battent pour tirer le meilleur d'eux-mêmes.

– Tu penses que je suis lâche, c'est ça? Admettons...

– Je voudrais surtout que tu cesses de tourner en rond et de t'enfermer dans ta tour.

– A chacun sa philosophie. Toi tu t'emballes, et moi je me cabre.

Le visage d'Harvey s'était contracté.

– Puisque tu ne veux rien comprendre, je vais faire un tour. J'ai besoin de voir des gens simples, histoire de me réconcilier avec l'humanité. Eux au moins ne cherchent pas midi à quatorze heures!

D'un geste brusque, il enfila sa vieille veste de chasse et claqua la porte.

Todd Norins, pour son émission hebdomadaire, avait évidemment choisi d'étaler à la face de l'Amérique « les secrets inavouables de l'ex-Miss Georgie », selon sa propre expression. Avec sa manière de présenter les choses, il pouvait engluer n'importe qui dans son piège et parvenait à communiquer sa joie malsaine à ses fidèles téléspectateurs...

La jeune femme l'avait écouté jusqu'au bout, recorquevillée sur le canapé, et sa main serrée dans celle d'Harvey. Puis ils tournèrent le bouton, interrompant le générique et s'assirent à même le sol, près de la cheminée.

— Tu ne m'as jamais pardonné ce coup de fil à Norins. Je le savais, dit-il amèrement. J'admets que c'était une erreur et, crois-moi, il ne se passe pas de jour sans que je la regrette. Je suis sans doute encore trop naïf, mais ça arrive à tout le monde de se tromper, non?

Devant le silence de Dinah, il se leva d'un bond, commença à déboutonner sa chemise et gagna la chambre. Il acheva de se déshabiller dans l'obscurité et, lorsque Dinah entra à son tour, il lui tourna résolument le dos.

Elle se glissa sous les draps et réussit à poser la joue sur son torse. Il s'écarta d'elle brusquement, comme sous l'effet d'une brûlure.

— Tu boudes? hasarda-t-elle. Très bien, reprit-elle. Alors je vais essayer de me concilier tes faveurs...

Elle fit glisser lentement ses doigts frais sur le

duvet de son corps et griffa légèrement son ventre musclé. Harvey gémit et respira plus fort.

– D'accord..., souffla-t-il. Je me rends.

– J'aime tellement te sentir contre moi.

D'un mouvement souple, elle emprisonna ses jambes dans les siennes et s'agrippa à son cou.

– Embrasse-moi. Serre-moi.

– Aussi longtemps que tu voudras...

Ils roulèrent, enchevêtrés dans un magnifique désordre, haletants, jetant leurs cris comme de jeunes dieux, ardents et nus, lancés au cœur d'une folle bataille. Écartelés sur le lit, le froissant de leurs corps violents, ils ne savaient plus qui des deux prenait l'initive, qui des deux gardait l'avantage, laissant seul le désir triompher...

– Ne bouge plus, mon amour, chuchota Dinah. Reste en moi. Je veux qu'on s'endorme comme ça, l'un dans l'autre. Je t'aime et je t'appartiens.

– On va vivre ensemble parce que jamais je ne pourrai te quitter. J'ai envie de toi sans cesse. C'est si fort!

– Moi aussi.

Dinah se trouvait déjà dans la cuisine lorsque Harvey dégringola l'escalier, les yeux à peine ouverts. Il lui sourit et frotta sa moustache contre son épaule.

– Tu es bien matinal.

– Le chaton avait besoin de câlins... A propos, dit-il en grattant son menton râpeux, il faudrait peut-être songer à nourrir nos bestioles. Ils vont finir par trouver qu'on les néglige.

– Tu l'as dit, bandit! brailla Noureïev.

– Je ne sais pas pourquoi il râle, constata Dinah. Il vient d'avaler toutes ses graines.

– Ventre plein n'est pas cœur serein! insista le perroquet.

Ils éclatèrent de rire.

– Mais dis-moi, reprit la jeune femme, ce n'est pas aujourd'hui que tu dois être à New York? Tu délaisses un peu tes affaires, en ce moment... Tu ne peux pas te permettre de faire faux bond à ton éditeur.

– Je n'ai pas oublié. Je serai de retour dans deux jours. D'ici là, prends soin de toi. La session extraordinaire du conseil municipal et ton rendez-vous avec le proviseur, ça fait beaucoup. Et je ne sais pas ce qu'ils auront manigancé dans ton dos, mais, je t'en conjure, sois vigilante.

Elle secoua la tête en signe d'assentiment mais, au fond d'elle-même, Dinah était loin d'être convaincue.

Elle souleva le rideau pour voir la Cadillac qui s'éloignait et sut à cet instant qu'elle venait de prendre une décision irrévocable : tout à l'heure, elle leur donnerait sa démission.

11

Assise au piano, Dinah effleurait inlassablement les touches et les notes sans suite accompagnaient sa rêverie. La sonnerie du téléphone y coupa court et elle courut, folle de joie à l'idée que, dans une seconde, elle entendrait la voix chaude de Harvey tout contre son oreille...

C'était Lulla et son sourire s'évanouit instantanément.

— Si tu n'as pas branché ton poste, tu ferais mieux de le faire tout de suite. Je suis en train d'écouter les informations et il paraît que McClure s'est mis dans un beau guêpier. La police l'a appréhendé parce qu'il a tout simplement envoyé Norins à l'hôpital.

Dans sa stupeur, Dinah raccrocha sans demander d'autres détails. Le pire, l'impossible, était arrivé. Elle alluma à la hâte la télévision et resta plantée devant, la main sur la nuque. Le dernier spot publicitaire disparut de l'écran et la caméra revint sur le plateau : le visage de la présentatrice avait revêtu un masque de circonstances :

— Comme je vous l'annonçais dans notre flash précédent, nous venons d'apprendre que M. Harvey McClure, l'écrivain bien connu, a créé l'événement, ce soir, au *Napoléon*, en plein centre de Manhattan. On ignore encore ce qui l'a poussé à agresser notre confrère Todd Norins, et ce à une heure où le restaurant connaissait l'affluence des grands jours. La direction s'est refusée à tout commentaire pour le moment.

Dinah était atterrée.

Toutefois, reprit la speakerine de sa voix égale, il semblerait que le romancier ait pris ombrage du récent reportage qui mettait directement en cause Mlle Sheridan avec laquelle il entretiendrait des relations plus qu'amicales. Toujours est-il qu'après un échange de propos d'une rare violence, l'altercation s'est terminée par une empoignade indigne entre gens de cette qualité. Souhaitons que ce triste fait divers ne salisse pas la réputation de cet établissement généralement si bien fréquenté...

Dinah interrompit le bavardage, enfila son manteau, décrocha ses clefs, attrapa son sac puis sauta dans sa voiture direction l'aéroport.

La chambre de l'hôtel était baignée de lumière et de grandes ombres mouvantes s'allongeaient sur les murs, y dessinant des figures de géants. Harvey, le front à la vitre et les mains dans les poches, se balançait mécaniquement en regardant la pluie noyer le crépuscule.

Dinah était arrivée depuis dix minutes déjà et il n'avait toujours pas desserré les dents. Elle s'était assise jambes croisées sur le coin du lit et l'observait en silence. Il avait retiré ceinture et chaussures et sa chemise chiffonnée sortait de son pantalon. Il y avait un moment sans doute qu'il tournait comme un fauve en cage...

– Qu'est-ce que tu veux savoir, à la fin! D'abord ce n'est pas moi qui ai commencé! Il m'a cherché! Je le hais!

– Ce n'était quand même pas une raison pour lui jeter un plateau d'huîtres à la figure! Et tu ne me feras pas croire que c'était seulement un réflexe d'autodéfense. Tu as voulu le provoquer, avoue-le. Mais je te signale que ce n'est pas la première fois que mon nom est associé à tes éclats en public! Est-ce que je mérite de tels affronts?

Dinah avait parlé sans colère mais sa voix, qui s'était achevée dans un murmure, montrait suffisamment combien l'incident l'avait marquée.

– Mais tu ne comprends donc rien? dit-il rageusement. Sa seule présence m'a mis les nerfs en boule. Le voir là, devant moi, avec son petit air supérieur alors que la veille il t'avait traînée dans la boue... C'était trop!

– Je ne doute pas de ta sincérité, mais tu t'es laissé emporter, comme toujours et, au lieu de prendre ma défense, tu·as réussi à m'humilier. Et tu ne t'en es même pas rendu compte. Tu lui as dit quoi, au juste?

– Qu'il avait une morale de pirhana, enfin, quelque chose comme ça... Tout de suite, il a été piqué au vif...

– On le serait à moins, reconnais-le. Et c'est à ce moment-là qu'il t'a jeté son verre au visage?

– Non... C'est quand je lui ai dit qu'il ferait mieux de remettre sa perruque d'aplomb parce que ça lui donnait une allure de vieille sur le retour...

Dinah sourit malgré elle.

– Ensuite, reprit-il, les choses sont allées très

vite. Il s'est rué vers moi et si Harry ne s'en était pas mêlé, je...

– Ton éditeur était dans le coup?

– C'est un type vraiment bien. Et en plus, il a le coup de poing efficace. Tous les intellectuels ne sont pas des poules mouillées, ça me rassure. Mais comme tu vois, je n'ai pas frappé Norins. J'ai tenu ma promesse...

Harvey avait souri fièrement et, visiblement il ne regrettait rien. La jeune femme se sentit vaincue devant tant de spontanéité. Secrètement, elle se surprenait même à admirer sa bonne foi et son courage. Pour sauver son honneur à elle, il n'avait hésité devant rien et elle était sûre qu'à tout instant, il pouvait recommencer, au mépris des convenances et de sa propre réputation.

Harvey, tête baissée, s'était mis à déambuler dans la chambre et paraissait réfléchir.

– Je pense qu'il vaut mieux qu'on ne se voie plus pendant quelque temps, dit-il d'un trait en interrompant son manège. Histoire que les choses se calment...

– Tu veux rompre? Mais c'est impossible!

– Je n'ai pas dit ça du tout! Je proposais une solution, simplement pour éviter d'envenimer nos relations. Pour qu'on y voie plus clair, si tu préfères.

– Je ne pourrai pas le supporter. Je tiens trop à toi!

– Essayons. Un mois, ce n'est pas la fin du monde...

– Tu as peut-être raison... J'en profiterai pour aller à Atlanta chez une amie. D'ailleurs, j'ai tout mon temps, maintenant...

– Et alors, et la mairie, et le collège?

– Je ne leur dois plus rien. J'ai démissionné.

– Tu as fait ça? Tu es folle? Est-ce qu'un jour tu cesseras de te dérober? Tu as tellement peur de la vie qu'au premier coup de vent, tu prends tes jambes à ton cou. Ça t'arrange et c'est si facile... Vraiment, tu me déçois! conclut-il en levant sur elle son regard dur.

– Comme ça, nous sommes quittes..., trancha-t-elle en mentant.

Sans un mot, elle prit son manteau. Les mains tremblantes, elle le boutonna lentement, espérant peut-être qu'il allait s'approcher d'elle et, brusquement, la serrer dans ses bras. Mais Harvey s'était planté devant la fenêtre et suivait du doigt les gouttes de pluie qui dégoulinaient aux carreaux.

– Comme tu voudras, dit-elle. Je m'en vais...

Il n'avait même pas daigné se retourner.

– Bonsoir, reprit-elle avec le désir violent qu'il revienne sur sa décision.

Lorsqu'il entendit la porte de l'ascenseur se refermer, il se jeta sur le lit et éclata en sanglots.

Le sapin de Noël avait beau revêtir son harnachement de fête, il ployait tristement ses branches sous le poids des guirlandes et des petites lumières clignotantes.

D'un geste fatigué, Dinah acheva de la saupoudrer de fausse neige et accrocha à sa cime une petite étoile dorée. Elle était seule dans la maison vide et silencieuse où le feu de la cheminée lançait de temps à autre ses étincelles crachotantes.

Lewis dormait en rond, le nez sur le tapis, et

Noureïev, de ses petits yeux vifs, guignait les boules multicolores en pensant aux plumes qu'il n'aurait jamais...

La jeune femme leur jeta un regard affectueux. Heureusement qu'ils étaient là.

Des coups de klaxon alertèrent son attention et elle courut à la fenêtre : plusieurs voitures stationnaient devant le perron et elle vit une dizaine de personnes en sortir, le visage rayonnant et les bras chargés de victuailles. Ils grimpèrent les marches quatre à quatre et déposèrent à la file des baisers sonores sur les joues de leur maire...

Dinah, les larmes aux yeux, ne savait que dire. Déjà, Lulla, Walter, Dewey et les autres s'activaient, disposaient la nappe en papier crépon, le punch, le champagne, les gâteaux, les bougies, les truffes, le foie gras, les serpentins et les couronnes de fleurs séchées.

– Nous avons décidé de célébrer le réveillon un peu en avance! s'exclama l'une de ses étudiantes.

– J'espère que vous n'y verrez pas d'inconvénient, renchérit un membre du conseil municipal. Vous nous manquiez trop. Et nous n'avons jamais cessé de compter sur vous.

Quelqu'un cria bravo et tous applaudirent.

– Amusons-nous, mes enfants! lança la vieille boulangère. A Mount Pleasant, on sait faire ça, non?

– Attendez! D'abord le poème! claironna le pasteur de l'église baptiste.

Dinah, bouleversée, enfourcha le tabouret de son piano et frappa les premiers accords d'un vieux chant de Noël que tous reprirent en chœur.

Ce n'est que bien plus tard, dans la nuit,

lorsque les phares s'estompèrent sur la route, que la jeune femme mesura toute sa joie : ces braves gens, en lui manifestant leur soutien et plus encore leur amitié, venaient de lui offrir un cadeau sans prix.

Le lendemain était un dimanche et elle consacra une partie de la matinée à faire disparaître les reliefs du festin, à la grande satisfaction du panda qui, de sa vie, n'avait jamais rêvé à tant de miettes. Elle souleva dans ses bras la petite boule toute chaude et enfouit sa tête dans son pelage très doux.

– Tu le sais, toi, où est ton maître ? murmura-t-elle. Est-ce qu'il te manque aussi ?

– Lewis avait dressé l'oreille. Il sauta brusquement à terre pour filer dans le couloir. A cet instant, une clef tournait dans la serrure et Harvey entra aussitôt en brossant les flocons sur son pardessus.

Dinah resta pétrifiée, son cœur battant à tout rompre.

– J'ai apporté avec moi la plus belle des surprises, dit-il d'une voix énigmatique, sans prendre le temps de l'embrasser. Viens voir.

Elle le suivit dans la cour. Une dame d'un certain âge, aux cheveux gris soigneusement tirés, s'extrayait à grand peine de la Cadillac. Elle semblait toute fragile dans son manteau de vison au col d'hermine remonté jusqu'aux joues.

Intriguée, la jeune femme s'avança vers elle.

– Que je te présente Mme Franklin, dit Harvey. Et voici Dinah Sheridan dont vous avez, je crois, souvent entendu parler.

– Enchantée..., murmura Dinah qui ne parvenait toujours pas à identifier le visage un peu crispé de son interlocutrice.

– Moi de même, mademoiselle. Nous nous sommes rencontrées une fois, il me semble. Mais vous n'étiez encore qu'une petite fille. C'était à une réception qu'avait organisée mon frère. Vous vous rappelez Donald Beaumont?

Dinah comprit soudain et pâlit.

– Oui... En effet... L'oncle Beau, comme disait mon père. Le vice-président de sa banque... Mais...

– Rentrons au salon, coupa Harvey. Je m'occupe du thé.

Lorsque la vieille dame se fut assise, elle se mit à lisser avec insistance les plis de sa jupe, comme pour dissiper sa gêne. Dinah regardait sans rien dire le sautoir en or et la lavallière en soie de sa visiteuse.

Elle eut un soupir de soulagement quand Harvey déposa le plateau sur la table basse.

– Allons, Mamie, lança-t-il avec un sourire engageant, il est temps de vous jeter à l'eau!

– Eh bien voilà, je... Je suis venue ici pour... Il s'agit de quelque chose de grave. Il y a longtemps que je garde ce secret. Je voulais protéger mon frère, vous comprenez. Sa mémoire aussi. Quand il est mort, voyez-vous, il buvait tant... C'était pour noyer ces remords. Il... il se sentait trop coupable...

Elle se tut et leva un regard désespéré vers Harvey.

– Continuez, s'il vous plaît, la supplia Dinah.

– Le pauvre Donald, Dieu ait pitié de lui, est responsable du malheur de votre père. Il l'enviait, il était seul, alors... C'est lui qui a extorqué les cinq millions de dollars. Et c'est lui aussi qui avait mené l'entreprise à sa ruine. M. Sheridan qui a toujours été la bonté même, ma foi, il a fermé les yeux aussi longtemps qu'il l'a pu...

Dinah réprima ses larmes et serra de toutes ses forces l'épaule de cette femme qui venait de lui apporter enfin la paix.

– L'argent dérobé a été placé sur un compte en Suisse. Je vous laisse en avertir les agents du fisc, ajouta-t-elle d'une voix digne. Je vous demande pardon pour tout le mal que ma famille vous a causé. Si, naturellement, vous voulez bien encore l'accepter...

Harvey avait aidé la septuagénaire à remonter en voiture et revenait chercher les gants qu'elle avait oubliés.

– Comment pourrais-je te remercier...? murmura Dinah en se blottissant contre lui. Mais est-ce que tu viendras cette nuit?

– Pas avant que tu ne sois sûre de toi et de nous.

12

– JE me demande s'il ne faudrait pas faire quelque chose pour McClure..., suggéra l'un des joueurs de sa voix éraillée. Il n'a vraiment pas l'air dans son assiette.

– De quoi je me mêle? répliqua Harvey en jetant un regard mauvais à la ronde.

– Je te signale simplement que tu étais sur le point d'abattre ton as de trèfle et que ça m'étonne de toi, poursuivit Bill Harte, le ministre du culte méthodiste, que tous les lecteurs connaissaient désormais sous le nom de Don Quichotte des âmes.

Harvey avait baptisé la plupart de ses amis que dévorait, comme lui, la fièvre du poker. Mais aujourd'hui, comme chaque soir depuis quelque temps, sa passion des cartes s'était évanouie et il devait bien s'avouer qu'il continuait à fréquenter le cercle dans le seul but de ne pas se morfondre chez lui.

Il caressa la tête de Lewis, benoîtement endormi sur ses genoux.

– Sa dame de cœur a certainement plus d'un atout, plaisanta Spencer qui faisait profession de détective privé à Atlanta.

Harvey tira brusquement sa chaise et se leva.

– Jouez sans moi. Je n'ai pas la baraka... Gardez mes jetons. Je vais prendre l'air.

– Comme tu voudras, vieux, dit Richard, l'expert comptable. On te met du scotch de côté, au cas où.

Le carillon de la porte retentit à ce moment-là.

– C'est sûrement les gosses qui passent pour la tombola. Préparez vos sous, les gars, dit McClure en allant ouvrir sans se presser.

A la place de la bande de gamins du quartier, il y avait une femme qui se tenait sur le seuil, une écharpe sur la bouche. Elle avait des yeux d'un bleu profond et une longue chevelure aux reflets sombres. Elle souriait. C'était Dinah.

Harvey, les bras ballants, la considérait, stupéfait, en proie au vertige de l'apparition.

– Mais... Qu'est-ce que tu fais là, comme ça, la nuit? balbutia-t-il en se reculant pour la laisser entrer.

– J'ai décidé de m'inviter. Voilà tout. Mais je te dérange peut-être?

– A vrai dire..., j'ai de la compagnie.

– En tout bien, tout honneur, j'espère...

– Je te rassure tout de suite : c'est une soirée entre hommes.

– Pourvu que j'y sois admise... Parce que, justement, j'ai apporté de quoi réjouir leur palais.

Sans attendre de réponse, elle déposa son panier dans le vestibule et retira son vison. Aussitôt, Dinah entreprit de virevolter à la manière des mannequins, sous l'œil ébahi de son hôte. Dinah poursuivit son manège, arborant fièrement une tenue des plus audacieuses. Elle portait un sweat-shirt doré aux multiples paillettes et qui n'avait aucune peine à recouvrir une minijupe moulante en cuir noir.

— Je te plais? lança-t-elle en tournant avec aisance sur ses talons aiguilles.

Harvey se contenta de hocher la tête. La beauté insolite qui évoluait devant lui ne cessait de le troubler. Et ses jambes voilées d'un bas gris foncé à couture excitaient terriblement son imagination...

— J'ai pensé qu'en cette période de fêtes, on pouvait s'autoriser quelques libertés, poursuivit-elle de sa voix charmeuse. Mais tu n'as même pas remarqué l'essentiel. Il n'est décidément pas facile de te séduire...

Elle se tendit vers lui et lui montra le M brodé sur sa poitrine.

— Qu'est-ce que ça veut dire? bredouilla-t-il.

— Mais c'est l'initiale de ton nom! C'est fou ce que tu as l'esprit lent, aujourd'hui! En clair, je fais maintenant partie du club de tes fans. Et ne reste pas planté là comme un piquet! maugréa-t-elle en le tirant par la manche. Si tu me présentais plutôt à tes amis?

Flanquée de son pauvre chevalier servant, la jeune femme fit une entrée pour le moins remarquée : les joueurs avaient délaissé leurs cartes et ne se privaient pas de la dévorer des yeux.

— Bonsoir! cria-t-elle à la cantonade en prévenant leur salut. Je m'appelle Dinah. On vous aura sans doute parlé de moi... J'ai apporté quelques petites choses à grignoter. Tels que je connais les joueurs, ils seraient bien capables de se laisser mourir de faim!

154

– Voilà qui est parlé! approuva Spencer, le mégot aux lèvres.

Dinah, qui l'avait rencontré une ou deux fois au temps où Harvey ne sortait jamais sans elle, lui adressa un petit signe de connivence.

En trois mouvements, elle eut bientôt débarrassé le centre de la table.

– Je vous propose du poulet aux lardons, de la salade de pommes de terre, des biscuits au beurre et un cake aux raisins de Corinthe. C'est un peu rustique, je sais, mais c'est le repas préféré de l'homme de ma vie!

– C'est évidemment un cas de force majeure..., intervint le révérend.

– McClure n'a plus qu'à nous dénicher une bonne bouteille de derrière les fagots..., renchérit Richard.

– Pas la peine, j'ai tout prévu, souffla Dinah un château-lafitte 78 déjà en main.

– Si j'étais lui, suggéra Spencer, je l'épouserais tout de suite. Cette jeune personne est une hôtesse de premier ordre.

Harvey s'était assis à l'écart sur un tabouret et semblait étranger à la conversation. Il n'avait d'yeux que pour elle et ne voulait pas bouger de peur que le rêve ne s'évanouisse.

Elle s'approcha et lui tendit une assiette.

– Tu préfères peut-être une bière, toi, dit-elle doucement, comme si elle avait eu peur de le réveiller. Reste là, je t'en apporte une.

– Non! hurla-t-il en sautant sur ses pieds. Je suis encore le maître chez moi, que je sache! Et j'aimerais te dire deux mots à ce propos!

Cette sortie brutale avait jeté sur le visage des

convives un masque de stupeur. Une fourchette tinta sur un verre, une allumette crépita et le tout se perdit dans un toussotement gêné. Dinah, de son côté, s'était instantanément figée en statue.

– Vous avez vu l'heure...? hasarda Richard. Je crois bien qu'il est temps de prendre congé. Ne nous raccompagne pas, on connaît le chemin...

Le révérend sortit le dernier et les salua en soulevant légèrement son petit chapeau noir de sur son crâne chauve, en un geste qui lui était familier.

Dans la pièce désertée, Harvey et Dinah se tenaient debout face à face et se demandaient lequel des deux allait rompre ce mur de silence.

– Je ne m'explique pas ta réaction, dit-elle soudain en levant les yeux sur lui.

– Moi non plus. Tu es arrivée ce soir aussi brusquement que tu es entrée dans ma vie... C'est pour ça, peut-être bien. Je n'ai pas supporté le choc. En plus, tu es si différente des autres fois... Ta tenue et puis...

– Il ne faut pas s'arrêter aux apparences.

– Non, c'est autre chose. J'avais gardé de toi l'image d'une petite fille timide, farouche, même.

– J'ai changé, tu vois. Je veux montrer toutes mes facettes. J'ai beaucoup réfléchi pendant ton absence et je me suis dit que pour que tu acceptes de vivre avec moi, pour que j'aie cette chance, il fallait que je m'assume, que je sois forte, enfin.

Harvey sourit, l'attrapa par le cou et la serra à l'étouffer.

– Dinah! Ma chérie! murmura-t-il. Comme je suis fier de toi. Un jour, tu porteras mon nom et c'est magnifique d'y penser.

– Je trouve aussi, dit-elle en lui ébouriffant les cheveux. D'ailleurs, Dinah McClure sur une affiche électorale, ça sonne plutôt bien. Il faudra y songer avant les prochaines sénatoriales...

– Vraiment? Tu vas te présenter? s'écria-t-il, fou de joie.

– Ah non, ce n'est pas toi maintenant qui vas te mettre à douter! La confiance est la règle d'or, tu me l'as assez souvent répété!

Harvey éclata de rire, la souleva dans ses bras et la porta vers la chambre.

– On sera tes plus fidèles supporters, le panda et moi. Ils nous verront sur toutes les estrades et à tous les meetings!

– Attends... attends, chuchota-t-elle. Il y a encore une chose qui me préoccupe. Comment as-tu fait pour retrouver la trace de l'associé de mon père?

– Je garde ce secret pour nos longues soirées d'hiver, répliqua-t-il en lui jetant un regard malicieux. Et, pour ne rien te cacher, j'ai d'autres projets pour cette nuit...

Nos trois parutions
de juin 1989
au
CLUB PASSION

No 43 *Un ours en peluche* par Joan Elliott PICKART

Se blottir dans les bras d'un énorme ours en peluche pour y puiser du réconfort, c'est bien. Mais serrer contre soi la charmante Luciane Sherwood serait encore meilleur pour le moral de Patrick Mullaney, joueur de football professionnel contraint d'abandonner sa carrière. Effrayée par la réputation de ce don Juan dont les conquêtes féminines ne se comptent plus, la jeune fille lui offre... son amitié. Mais l'ours en peluche a son rôle à jouer.

No 44 *Conflit d'intérêts* par Margie Mc DONNELL

Sauvée de la noyade par un inconnu aussi beau que courageux, la rousse Magdalena va se laisser aller à la douceur d'être conquise. Puis elle découvrira avec stupeur que son sauveur, Joss, possède la moitié de l'hôtel qu'elle croyait totalement sien, après son divorce. La passion qui naît entre les deux jeunes gens leur permettra-t-elle de trouver une solution à ce problème et de vivre heureux auprès du fleuve?

No 45 *Pour l'amour de Lorna* par Sandra CHASTAIN

Lorna sait que la plupart des gens commettent des folies durant les mariages. Aussi, quand Tyler Winter la bouleverse avec son sourire, elle ne peut résister au besoin de se jeter dans ses bras, même si une femme libre, entourée d'une famille excentrique, ne peut pas appartenir à un séducteur en costume trois pièce! Après de longues années consacrées aux autres, Lorna a peur de reconnaître qu'elle a besoin de quelqu'un.

Nos trois parutions
de juillet 1989
à la
COLLECTION PASSION

No 224 *Avec deux bébés* par Barbara BOSWELL

Nick Tosca est le seul homme qui ait jamais compté pour Candice Flynn, son premier et unique amour, qu'elle a fui parce qu'il la troublait trop profondément. Quel choc de le rencontrer trois ans plus tard, avec... une petite fille dans les bras! Et quel choc, pour lui, de la retrouver un bébé pressé contre son cœur... Saura-t-il reconnaître que Candice a changé, qu'elle est devenue une femme accessible à l'amour, une femme dont le plus grand désir est de fonder une famille avec lui?

No 225 *Le destin de Flynn* par Patt BUCHEISTER

Héritier d'une île en même temps qu'un milliardaire, voilà qui bouleverse la paisible existence d'Automne. Surtout lorsque l'homme en question s'appelle Gary Flynn et représente tout ce que la jeune femme déteste. Gary, le play-boy, l'enfant gâté, revenu dans sa ville natale pour l'enterrement d'un merveilleux grand-père dont il ne s'est jamais occupé. Automne accueille Gary avec des mots durs sur les lèvres. Mais quand, à une haine féroce, vient se mêler l'amour, il ne reste qu'une seule issue pour un cœur fier : la guerre.

No 226 *Château de cartes* par Susan CROSE

Dans sa belle robe de mariée, Shana attend celui qu'elle aime, le beau Parker. Rien, croit-elle, ne s'oppose à leur bonheur. Quelle erreur! Un tragique accident survient, et le magnifique château de cartes s'écroule. Le réveil est pire encore. Braquant sur elle ses yeux bleus, Parker demande : « Qui êtes-vous? » Du courage, Shana n'en manque pas. Mais pourra-t-elle triompher? Il lui faut combattre Parker, dont l'orgueil est à vif et qui repousse son aide. Et voilà que surgit une inconnue, avec d'étranges revendications...

LA COMPOSITION, L'IMPRESSION ET LE BROCHAGE DE CE LIVRE
ONT ÉTÉ EFFECTUÉS PAR LA SOCIÉTÉ NOUVELLE FIRMIN-DIDOT
MESNIL-SUR-L'ESTRÉE
POUR LE COMPTE DES PRESSES DE LA CITÉ
LE 24 AVRIL 1989

Imprimé en France
Dépôt légal : juin 1989
No d'impression : 11233